Selim Özdogan
Ein Spiel, das die Götter sich leisten

Selim Özdogan

Ein Spiel, das die Götter sich leisten

Roman

Aufbau-Verlag Berlin

ISBN 3-351-02943-8

1. Auflage 2002
© Aufbau-Verlag GmbH, Berlin 2002
Einbandgestaltung Henkel/Lemme
Druck und Binden Wiener Verlag, Himberg
Printed in Austria

www.aufbau-verlag.de

Die Fülle hat Gelingen.
Der König erreicht sie.
Sei nicht traurig; du mußt sein wie die Sonne am Mittag.

I-Ging, Hexagramm 55

Es ist leicht, an etwas zu glauben, solange es mit dem übereinstimmt, was man ohnehin schon weiß. Aber du mußt bis zum Ende an uns glauben.

Tom Wolfe

I

Annie Sprinkle sagt:
Das sind die Leute, die ich wahrhaft bewundere: die, die wirklich eine gute Zeit haben – nicht die, die leiden.

1

Wir ließen unsere Taschen fallen und versuchten uns für eine Richtung zu entscheiden. Die Straße vor uns führte auf einen Platz, in dessen Mitte ein Springbrunnen mit großen steinernen Delphinen war. Links lag ein Park, hinter uns schien eine reine Wohngegend zu sein, aber rechts erkannten wir auf einem Schild das i der Touristeninformation mit einem Pfeil darunter. Wir nahmen unsere Taschen und folgten den Pfeilen, zwei Minuten später standen wir in einer Fußgängerzone vor dem Büro. Es hatte seit einer Stunde geschlossen.

– Und was jetzt? fragte Oriana.

Es war meine Idee gewesen, mitten in der Hochsaison hierherzukommen, ohne vorher ein Zimmer zu buchen, ohne einen Hotelführer im Gepäck.

– Wir finden schon etwas, sagte ich, stellte meine Tasche wieder ab und drehte mich noch einmal im Kreis. Rechts war ein Taxistand, wir konnten einen Fahrer fragen.

Ein kleiner alter Mann, der aussah, als würden seine Füße kaum bis zu den Pedalen reichen, beschrieb uns auf englisch den Weg zu einer Zimmervermittlung in der Nähe, die 24 Stunden offen hatte. Ich strahlte Oriana an, siehst du, kein Problem, wir können ganz gelassen bleiben, es findet sich immer was. Ich hatte gute Laune, es war heiß, das Glück war uns hold.

Der Mann von der Zimmervermittlung erklärte uns in fließendem Deutsch, im Moment in der gewünschten Preisklasse für heute nacht nichts anbieten zu können. Ob wir vielleicht für diese eine Nacht ein teureres Zimmer nehmen würden? Ich deutete Orianas Gesichtsausdruck so, daß ich entscheiden solle, schließlich hatte ich uns in diese Lage gebracht.

Ich wollte die Taschen loswerden, duschen, essen, mit Oriana schlafen, ich hatte keine Lust, mich lange nach einer billigen Alternative umzusehen. Es war nur für eine Nacht.

Fünf Minuten später betraten wir eine großzügig angelegte Lobby mit Sitzgruppen in Blau und Rot, Menschen saßen oder standen in Grüppchen zusammen, irgend etwas irritierte mich. Erst als ich dann das Gelächter hörte, wurde es mir klar. Dafür, daß so viele Menschen hier waren, war es viel zu still. Kein Schweigen, das drückte oder unheilvoll war, sondern eine Stille, als wäre die Tonspur ausgefallen.

– Taubstumme, sagte Oriana, bevor ich es begriff.

Ja, die Leute unterhielten sich in Gebärdensprache, einer schien Witze zu erzählen, alle blickten ihn an, und irgendwann lachten sie gleichzeitig los. Vielleicht gab es einen Kongreß in diesem Hotel, vielleicht war es einfach nur eine Reisegruppe. Wir blieben stehen und schauten uns noch ein paar Witze an, ohne die Pointen zu verstehen. Es war spannend, sich die Gesichter und Gesten anzusehen und mitzuraten, wann es denn soweit war. Wir standen mit den Taschen in den Händen mitten in der Lobby, die Frau an der Rezeption lächelte uns an, dann wandte sie sich wieder den Taubstummen zu, auch sie schien amüsiert zu sein.

– Das ist schön anzusehen, sagte ich, und außerdem: keine lauten Fernseher, kein Radio aus dem Nebenzimmer, kein Ehekrach, kein nichts. Das ruhigste Hotel in der ganzen Stadt. So was hätten wir nicht buchen können, wenn wir es gewollt hätten. Ich zwinkerte Oriana zu.

Nachdem wir an der Rezeption ein Formular ausgefüllt

hatten, bekamen wir eine Plastikkarte, mit der man nicht nur die Zimmertür aufschloß, sondern die man auch in dem gläsernen Aufzug durch einen Schlitz ziehen mußte, damit sich das Ding bewegte, damit klar war, daß wir autorisiert waren, den Lift in Anspruch zu nehmen.

Unser Zimmer hatte ein riesiges Doppelbett, und drumherum war jede Menge Platz. In den meisten Hotelzimmern, die ich bisher gesehen hatte, konnte man vieles tun, aber niemals der Länge nach hinschlagen. Hier war das kein Problem. Wir stellten die Taschen ab, und Oriana sagte: Ich bin erste.

Als sie aus der Dusche kam, lag ich nackt auf dem Bett, der Fernseher lief, eine Talkshow, und ich versuchte mich an diese fremde Sprache zu gewöhnen, von der ich kein Wort verstand. Es gab hier natürlich auch Pay-TV, auf zwei Kanälen liefen Hollywood-Filme im Original, auf den beiden anderen Pornos.

Oriana hatte sich ein Handtuch um ihre braunen Locken gewickelt, sie ging zu dem Stuhl, auf dem ihre Tasche lag. Nackt, bis auf diesen weißen Turban auf dem Kopf, beugte sie sich vor, zog den Reißverschluß auf. Ich wartete noch ab, welchen Slip sie anziehen würde. Ein fliederfarbener, der hinten ganz aus Spitze bestand. Dann ging auch ich duschen.

Oriana hatte ein geblümtes Kleid an, als ich wieder ins Zimmer kam, der Fernseher war aus, dafür dudelten Oldies aus dem Radio. Sie stand am Fenster, die Sonne ging gerade unter. Ich stellte mich hinter sie und atmete den Duft ihrer feuchten Haare ein. Er erinnerte mich ein wenig an Aprikosen. Und an einen Abend, an dem sich eine Frau neben mich an die Theke gestellt hatte, ganz verschwitzt vom Tanzen. Ein paar Strähnen waren aus ihrem Pferdeschwanz geschlüpft, weil sie auch ein wenig durch die Luft wirbeln wollten, und nun klebten sie an ihrem Nacken. Ich hatte in all dem Bierdunst und Rauch ihre Haare gerochen und ein kleines Gebet gen Himmel geschickt. Es wurde erhört, sie brauchte ziemlich lange, um zu verschnaufen.

Als wir wieder die Lobby betraten, waren die Taubstummen verschwunden, und die Besetzung an der Rezeption hatte gewechselt. Ein junger Mann beschrieb uns den Weg zu einem billigen Restaurant ganz in der Nähe, in dem fast nur Einheimische essen würden. So sah es auch aus, die wenigen Gäste wirkten kaum wie Touristen, der Kellner konnte kein Englisch. Es sah nicht nach Nepp aus, doch es dauerte ewig, bis das Essen kam, das nicht sonderlich gut schmeckte, ich wollte nicht glauben, daß irgendwo unter dieser Panade tatsächlich Fleisch war. Hinterher waren wir satt, aber nicht zufrieden.

Es war nicht weit bis zum Fluß, der die Stadt teilte, unterwegs kauften wir uns noch ein Eis. Die Luft war lau, Touristen gingen die Promenade auf und ab, gaben Geld aus an den Ständen, Souvenirs, Popcorn, Zuckerwatte.

– Es ist schön, in einer fremden Stadt zu sein, sagte Oriana, es hat so etwas Geheimnisvolles. Man weiß noch nicht, was einen erwartet.

– Ja, und es ist abenteuerlich, wenn man ankommt und nicht weiß, wo man die Nacht verbringen wird.

Wir küßten uns, ohne uns zu umarmen, das Eis noch in den Händen.

Später, als wir wortlos zum Hotel zurückschlenderten, fragte ich mich, ob sie wohl zusammen mit mir einen Porno sehen wollte und ob sie überhaupt schon mal einen gesehen hätte. Ich erinnerte mich gerne an meinen allerersten Porno, den ich mir von einem Mitschüler geliehen hatte, ich war sechzehn. In dem Film läßt ein Ehemann ein Tonband oder eine Platte laufen mit Anweisungen, was er tun soll. Zuerst küssen, dann die Brüste der Frau streicheln, die Innenseiten der Oberschenkel und so weiter. Er befolgt alles haarklein und fragt hinterher seine Frau, ob sie gekommen wäre. Sie weiß es nicht genau, sie glaubt nicht. Der Mann ist ein miserabler Liebhaber, der es ohne diese Platte nicht kann, und seine Frau verläßt ihn, um dann beim Trampen an jemand zu geraten, der es ihr richtig besorgt. Sie spritzt, als es ihr kommt. Der Autofahrer, erstaunt über die große Menge Flüssigkeit, nimmt die Frau mit, bringt sie noch öfter zum Höhepunkt und stellt aus ihren Ejakulaten ein Parfum her, das augenblicklich geil macht. Es wird gezeigt, was alles passiert, wenn jemand es aufträgt. Der verlassene Ehemann wird mit viel Übung im Laufe des Films ein guter Liebhaber, und am Ende ist das Paar wieder glücklich vereint, wenn ich mich richtig erinnerte.

Solche Pornos gab es nicht mehr, zumindest hatte ich in den letzten Jahren keine gesehen. Die Filme hatten keine Handlung, es wurden keine Situationen dargestellt, aus denen sich Sex ergab. Man sah nur Geschlechtsteile in Großaufnahme, steriles Gerammel von Bodybuildern mit großen Schwänzen und Frauen mit Silikonimplantaten. Als Text wäre das so etwas wie: Er steckte ihr seinen blaugeäderten, dicken, steifen Schwanz in die triefende, blankrasierte Möse, erst von hinten, dann von oben, dann von der Seite, Fleisch klatscht auf Fleisch, lautes Stöhnen, er pumpt, stößt immer heftiger, und schließlich zieht er ihn heraus und spritzt ihr ins Gesicht. Anal, blasen, pissen, pimpern, man konnte doch nicht zu diesen Worten wichsen, genausowenig wie zu den Bildern, die sie da fabrizierten.

Die Regisseure hatten keine Ahnung, wie sexy eine angezogene Frau aussehen konnte und wie erregend das Private war. Manchmal hatte ich Amateurvideos erwischt, Männer mit Bäuchen und Erektionsproblemen, Frauen mit Übergewicht und behaarten Achseln, aber am meisten hatte es mich angemacht, wenn ich den Eindruck hatte, wirklich ein Voyeur zu sein, einen Fick zu beobachten, bei dem der Mann wußte, was die Frau wollte, und die Frau die Griffe und Worte draufhatte, auf die der Mann abfuhr. Ein paar dieser Bilder waren noch in meinem Gedächtnis, doch die Suche nach neuen war mir irgendwann zu langweilig, teuer und zeitraubend geworden.

Es waren die kleinen Abweichungen, die ich mochte, diese winzigen Momente, in denen ich glauben konnte, daß sich hier zwei Menschen begegneten. Ein Mann, der, kurz bevor es ihm kommt, sagt: Ich laufe, Baby. Die Frau, die ihm kurz vor seinem Höhepunkt den Finger in den Arsch rammt, was ihn sichtbar in eine andere Welt schleudert. Die Frau, die einfach nur ihren Kopf schüttelt, als er seinen Schwanz ihrem Mund nähert. Der Mann, der sehr schnell spritzt und den seine Frau mit den Worten: Ist nicht schlimm, tröstet.

Warum konnten sie mir nicht einfach einen Haufen Jungs zeigen, die eine Frau mit großen Brüsten vergewaltigen wollen? Sie zerren sie in ein Auto, verbinden ihr die Augen, fahren mit ihr in den Wald. Dort reißen sie ihr die Klamotten vom Leib. Die Frau hat Angst, sie bettelt darum, in Ruhe gelassen zu werden. Sie verspricht ihnen Geld, sie fängt an zu weinen und fällt auf die Knie. Die Jungs kriegen Mitleid, zögern, doch sie können sich nicht entschließen, sie gehen zu lassen, sie sind spitz. Ich kann verstehen, ihr seid geil, versucht es die Frau nun, ihr könnt mich doch einfach zwischen die Titten ficken, oder? Ihr müßt doch nicht …? Die Jungs sind einverstanden.

Billige Männerphantasien, na klar, aber es ist doch nichts Schlechtes daran, sie zu befriedigen.

Ich dachte an Ellen und Alicia, mit denen ich Sexfilme gesehen hatte, und ich dachte an Monika, die sich strikt weigerte, sich jemals so etwas Ekliges und Perverses anzusehen. Wie kann man so wenig neugierig sein, hatte ich mich gefragt.

Im Aufzug lächelte Oriana mich an. Ich betrachtete die beiden großen Schneidezähne, die leicht nach innen zeigten, die Lücke dazwischen und diese spitzen, etwas schiefen Eckzähne, die vorstanden und ihrem Lächeln etwas Schelmisches verliehen, das nicht ganz zu den dunklen vollen Lippen paßte.

Als ich Oriana das erste Mal sah, hatte sie mit einer Dose Cola dagesessen, ich war zögernd auf sie zugegangen, wir hatten uns in die Augen gesehen, und sie hatte gelächelt, mir ihre Zähne gezeigt, und ich hatte gewußt, daß ich das am liebsten jeden Tag sehen wollte.

– Möchte der Herr mit auf mein Zimmer? fragte sie jetzt und zwinkerte mir zu.

– Gestatten, daß ich mich vorstelle: Mesut, einigen tollen Damen, die schon von meinem Charme betört in meinen Armen lagen, besser bekannt unter dem Namen: Shiva, der Gott mit dem Harten.

Wir lachten, der Aufzug hielt. Ich hatte ihr heute im Flugzeug die Geschichte erzählt. Shiva, ein hinduistischer Gott, begibt sich nackt, als Bettler getarnt, in einen Pinienwald, in dem sieben weise Männer leben, die spirituelle Praktiken üben. Die Frauen der sieben Weisen baden eines Tages im Fluß, als Shiva sich ans Ufer stellt. Sie sind ergriffen von seiner schönen Gestalt. Langsam steigen sie aus dem Wasser und zeigen sich Shiva in ihrer Nacktheit, um ihn zu verführen. Schamlos schläft er nacheinander mit jeder, bis ihr Feuer gelöscht ist. Als die Weisen das herausfinden, sind sie wütend und wollen Shiva bestrafen, indem sie ihn entmannen. Flugs laufen sie zum Fluß, an dessen Ufer sich der Gott gerade ein wenig ausruht, das Glied dank seiner unerschöpflichen Potenz immer noch steif. Die sieben weisen Männer überwältigen Shiva und legen Hand an ihn. Doch als Shivas Schwanz zu Boden fällt, senkt sich Dunkelheit über das ganze Universum. Da erkennen die

15

Weisen ihren Fehler und flehen Shiva an, die Ordnung wiederherzustellen. Unter der Bedingung, daß sie seinen erigierten Schwanz anbeten, willigt er ein. Fortan huldigen die Weisen dem riesigen Phallus.

– Damen, Charme, Armen, lagen, Namen, du bist wirklich gut, sagte Oriana, du hättest einen guten Rapper abgegeben.

Das mochte sein, aber es hatte nun mal nicht geklappt.

– Hast du schon mal einen Porno gesehen? fragte ich, als sie die Tür hinter sich schloß.

– Nein.

– Möchtest du mal einen sehen?

– Wann?

– Jetzt.

– Hier?

Ich nickte und setzte mich aufs Bett. Sie stand vor der Badezimmertür und sah aus, als könne sie sich nicht sofort entscheiden. Hoffentlich sagt sie ja, wünschte ich mir, hoffentlich habe ich gerade keinen schlechten Anfang gemacht, das ist unsere allererste Nacht in einem Hotel.

Sie schien nicht verunsichert, zumindest nicht mehr als ich. Warum zögerte sie. Manchmal war sie ein wenig ängstlich oder übervorsichtig, wenn sie etwas nicht überblicken konnte. Sie hatte nicht ohne Hotelbuchung losfahren wollen, aber in anderen Situationen zeigte sie einen beeindruckenden Glauben an den guten Ausgang der Dinge. Ich verstand nicht, womit das zusammenhing.

– Wenn es mir nicht gefällt, machen wir wieder aus.

Sie setzte sich neben mich, ich drückte die Fernbedienung, wir waren sofort mittendrin. Eine Frau mit riesigen Brüsten kniete vor einem Mann, den Schwanz im Mund, hinter ihnen ein Holzhaus, um sie herum Wälder und Wiesen, Ami-Produktion, entschied ich. Ich drehte den Kopf zu Oriana, sie schaute mit einer eher kühlen Neugier, zumindest kam es mir so vor.

Es war eine Mischung aus Unsicherheit, Angst, Vorfreude, Scham und Bedrückung, die ich fühlte, Bedrückung bei der Vorstellung, daß es ihr nicht gefallen würde und daß damit das Thema Sex für heute abgehakt wäre.

Oriana lehnte sich zurück und entspannte sich, ich brauchte ein wenig länger. Die beiden da vorne spielten ihr Repertoire durch, es sah nicht besonders lustvoll aus, aber wenigstens war der Film nicht synchronisiert, so was ging meistens schief. Da sagten Frauen mit vollem Mund artikulierte Sätze wie: Schmeckt der gut! Immerhin waren das Menschen, die Sex hatten, und das war erst mal spannend, egal wie schlecht der Film war. Aber konnte ich offen zeigen, wie gut mir das gefiel?

Als der Mann auf die Brüste der Frau spritzte, spannte sich Orianas Körper kurz, und ihr Atem ging anders. Meine unguten Gefühle verschwanden, das mochte sie also. Bevor die nächsten anfingen, setzte ich mich mit gespreizten Beinen hinter Oriana, so daß ihr Kopf an meiner Brust lehnte und meine Hände auf ihrem Bauch lagen.

Womöglich lief auf dem anderen Kanal ein besserer Film, ich tastete nach der Fernbedienung, und als man vor lauter Fleisch nichts mehr sehen konnte, schaltete ich um.

Es war ein deutscher Film, ebenfalls nicht synchronisiert. Wir waren in einem Mädcheninternat, und eine Schülerin an der Tafel machte ihren Lehrer völlig verrückt, indem sie sich mehr und mehr entblößte, während sie so tat, als würde sie rechnen. Sie ließ die Kreide fallen, bückte sich, natürlich hatte sie unter dem Rock nichts an, und ihre Mitschülerinnen giggelten. Der Lehrer sagte, sie müsse nachsitzen. Ich legte meine Hände auf Orianas Brüste, sie atmete mit einem kleinen Seufzer aus.

In der nächsten Sequenz lag die Biologielehrerin vorne auf dem Lehrerpult, und die Mädchen standen um sie herum und sahen zu, wie der junge Hausmeister stehend seinen Schwanz in sie einführte, während die Lehrerin sagte: Das ist das männliche Glied, und wenn ihr jetzt genau hinseht, könnt ihr erkennen, wie es tief in die Vagina eindringt, um der Frau Lust zu bereiten.

Wahrscheinlich hätten wir unter anderen Umständen laut losgelacht, aber wir waren erregt und gleichzeitig immer noch befangen. Meine Bewegungen waren unsicher, vorsichtig, ich wußte nicht, wie weit ich gehen konnte, ich wußte nicht, welche Schranken noch den Weg versperrten.

Ich zog Oriana etwas höher, schob ihr Kleid Stück für Stück hoch und dann ganz langsam den Slip beiseite. Ich sog den Geruch ein und fühlte die warme Nässe, Oriana sah weiter nach vorne, und als der Hausmeister spritzte, kam es ihr auch. Ich hatte nicht geahnt, daß sie schon so weit war. Wir hatten uns nicht mal geküßt.

Es hatte mich angemacht, mit welcher Selbstverständlichkeit Oriana weiter auf den Bildschirm gesehen hatte. Dann konnte auch ich zügellos sein. Ich stand auf, stieg aus den Klamotten, Oriana rutschte in die Mitte des Bettes, und ich legte mich auf sie. Ich hörte gleichzeitig das Stöhnen aus den Boxen und unseres, bewegte mich langsam.

– Warte, sagte sie, ich zeig dir, wie schön das ist.

Sie zog sich auch aus, setzte sich auf das Bett, mit dem Rücken gegen das Kopfteil wie ich vorhin, und ließ mich zwischen ihren Beinen Platz nehmen. Jetzt waren die Rollen vertauscht. Sie hatte meinen Schwanz in der Hand und wichste ihn, ich spürte ihre Brüste an meinem Rücken.

– Sieh hin, sagte sie, als ich meinen Kopf zu ihr drehte. Ich hatte befürchtet, es würde sie kränken, wenn ich zu lange hinstarrte. Es war etwas ganz Neues, das mir herrlich verdorben vorkam, nackt vor einem Porno sitzen und die Hand, die sich auf und ab bewegt, ist nicht die eigene.

Oriana konnte mir nicht über die Schulter gucken, ohne

sich zu verrenken. Sie ließ mich los, kniete sich auf das Bett, das Gesicht zum Fernseher gerichtet, den Hintern oben.

Ich kniete mich hinter sie, glitt wieder hinein und sah jetzt abwechselnd nach vorne und auf ihren großen runden Po. Ich schrie einfach, von diesen Taubstummen konnte mich ja eh keiner hören, und irgendwann machte ich die Augen zu. Mesut läßt sich von einer Welle tragen, die Welle bricht, und er taucht ins warme Wasser ein.

Als ich die Augen wieder öffnete, störten mich die Geräusche, die Bilder, ich wollte Orianas Haut an meiner spüren und sonst gar nichts. Ich fand die Fernbedienung, schaltete den Fernseher aus, wir legten uns nebeneinander.

– Und? fragte ich, nachdem ich eine Weile unseren Duft geatmet hatte und unser Schweiß getrocknet war. Ich hätte es vorgezogen, mich beherrschen zu können. Und? Und wie war ich, baby? Der beste Liebhaber auf Erden, der dich mit seinem Stahlhammer in eine willenlose, vor Ekstase verrückt gewordene Nymphomanin verwandelt hat?

Männer sind wahrscheinlich so schwach und eitel, aber ich hatte Probleme, mich damit abzufinden.

– Mesut, sagte sie, Mesut, es war sehr geil. Entspann dich.

Sehr viel später saßen wir nackt auf dem Bett und tranken Bier aus der Minibar, das Radio lief, und Oriana sagte:

– Wenn ich alleine wäre, würde es mich nicht erregen, glaube ich. Es war, weil du dabei warst und ich wußte, daß wir gleich Sex haben würden. Es war wie eine lange Pause vorher, in der man heiß wird.

– Du stehst aber schon drauf, einen Schwanz spritzen zu sehen?

– Was dachtest du denn? Es sieht schön aus. Aber es war

nicht erotisch, verstehst du? Es war schnell und heftig, ohne viel Gefühl.

Sie legte ihre Hand auf meinen Arm.

– Es war sehr geil, aber wir ... wir ... es war nicht warm. Es hat mich nicht gestört, es hat mich sogar angemacht, aber ich muß das nicht öfter haben.

2

Wir wurden wach von dem Lärm. Türen wurden zugeschlagen, jemand stieß gegen Möbel, oder ein Duschkopf fiel polternd herab. Die Sonne strahlte schon, doch ich war verärgert, so geweckt zu werden, und brauchte ein paar Sekunden, bis ich begriff. Die Taubstummen hatten natürlich nicht die geringste Ahnung, wie laut sie waren.

Ich sah auf die Uhr, Viertel vor acht, aber gleich würden sie alle beim Frühstück sitzen, gleich würde es wieder still werden auf dem Gang. Ich hatte noch nicht zu Ende geschlafen, ich wollte noch mal wegknacken.

Als ich erneut aufwachte, lag Oriana nicht mehr im Bett. Sie saß nackt am Tisch und legte die Karten. Ich sah zu, wie ihr Busen sich bewegte. Sie hatte birnenförmige Brüste, die ein wenig hingen und nach unten hin dicker wurden. Die dunklen Kreise um ihre Brustwarzen waren fast so groß wie mein Handteller und ließen ihre Titten größer wirken. Als ich das zum ersten Mal gesehen hatte, war es sekundenlang zuviel für mich gewesen. Ich war erstarrt, und dann hatte ich mich geschämt für meinen gierigen Blick.

Mit halbgeschlossenen Lidern beobachtete ich sie, bis sie fertig war und sich im Stuhl zurücklehnte. Dann sagte ich Guten Morgen, stand auf und stellte mich hinter sie.

– Sehr bald wirst du jemanden treffen, den du schon sehr lange nicht mehr gesehen hast und der dir sehr viel bedeutet. Du wirst dich freuen, aber auch ein wenig traurig sein, sagte sie, den Blick weiter auf die Tarotkarten gerichtet.

Ich ging neben dem Stuhl in die Hocke und sah sie an.

– Kannst du mir einen Gefallen tun? Kannst du damit aufhören? Nur solange wir hier sind? Es beeindruckt mich zu sehr, wie viele von deinen Vorhersagen eintreffen. Ich möchte einfach ein wenig rumreisen, mir die Gegend ansehen, ich will mich frei fühlen. Ich möchte nicht, daß du uns jeden Morgen die Karten legst.

Oriana sah zu mir runter, ich entdeckte einen Krümel Schlaf in ihrem Augenwinkel.

– Ich weiß nicht, ob ich das will.

Ich entgegnete nichts, sah weiter in ihre dunklen Augen.

– In Ordnung, sagte sie, wenn dir so viel dran liegt.

Zuerst hatte es mich fasziniert. Jedesmal wenn sie mir die Karten legte, war es, als würde sie in meiner Seele spazierengehen. Sie konnte sagen, wie ich mich fühlte und was mich beschäftigte, ob ich eine Entscheidung zu treffen hatte oder ob ich verletzt worden war. Und weil sie das alles so gut zu wissen schien, schenkte ich auch ihren Prophezeiungen Glauben und fühlte mich unbehaglich und eingeengt dadurch.

– Ich kann dich nicht durchschauen oder verstehen oder deine Geheimnisse erfühlen, hatte sie versucht mir zu erklären. Die Karten sagen vielleicht, daß dich etwas bedrückt, aber sie sagen nicht, was es ist, worum es geht. Ich bekomme wahrscheinlich mehr zu sehen als andere, aber es ist nicht viel. Bei meinem Verlobten haben die Karten gesagt, daß er besitzergreifend ist, aber ich wußte nicht, in welchem Maße und wie sich das äußert. Kennst du die Geschichte von dem gelben Buch der Weissagungen? Darin stand alles geschrieben, es gehörte einem König, der mit Hilfe des Buches alle Verbrechen aufklären konnte. Der König hatte eine Tochter, die er vor aller Welt versteckt hielt, weil er ahnte, daß ihre außergewöhnliche Schönheit ihr zum Verhängnis werden konnte. Die Dienerinnen der

Prinzessin trauten sich nicht, ihren Aufenthaltsort zu verraten, weil das gelbe Buch sie entlarvt hätte.

Ein Mann namens Tevne hob eine tiefe Grube aus und lockte eine der Dienerinnen hinein. Über der Grube entfachte er ein Feuer und stellte einen Kessel mit Wasser darauf. Dann nahm er ein Eisenrohr und führte es durch den Kessel, damit er mit der alten Frau unten in der Grube sprechen konnte. Und die Frau verriet ihm, wo die Prinzessin versteckt war. Tevne entführte die Königstochter, ergötzte sich an ihrer Schönheit, und schon bald überkreuzten die beiden die Beine. Der König befragte das gelbe Buch nach dem Verräter, und was sagte das Buch? Daß der Verräter ein Gesäß aus Erde, einen Körper aus Feuer, Lungen aus Wasser und ein eisernes Rohr als Stimme hätte. Da der König sich nicht erklären konnte, wer denn der Verräter gewesen war, verlor er sein Vertrauen in das gelbe Buch und verbrannte es. Verstehst du?

Ich hatte genickt, aber jetzt machte ich mir natürlich wieder Gedanken, wer das sein könnte, den ich treffen würde. Es gab nicht viele Menschen, die ich schon lange nicht mehr gesehen hatte und die mir viel bedeuteten. Und ich konnte mir nicht vorstellen, einem von ihnen hier zu begegnen.

Nachdem Oriana geduscht hatte, setzte ich mich auf den Rand der Badewanne und sah ihr zu, wie sie sich abtrocknete, vor den Spiegel stellte, eine Creme im Gesicht verteilte, eine andere auf ihren Ellenbogen, Fersen und Knien, wie sie sich die Wimpern tuschte. Ich sah ihr gerne im Badezimmer zu. Bisher hatte ich nur Frauen gekannt, denen es peinlich oder unangenehm war, sich in meiner Gegenwart zu pflegen. Ganz so, als würde ich dann hinter das Geheimnis ihrer Schönheit kommen und anfangen, mich zu langweilen. Es schien ihnen zu weit zu gehen. Man konnte Sex haben, doch sich im Bad zusehen zu lassen war zu intim.

Oriana zog sich immer erst an, wenn sie im Badezimmer nichts mehr zu tun hatte. Es machte mich geil, und manchmal stellte ich mir vor, wie sie sich vorbeugte und am Waschbecken festhielt, während wir uns im Spiegel in die Augen sahen. Doch letztlich war es mir lieber, ihr bei der Morgentoilette zuzusehen.

Wir frühstückten, packten unsere Sachen und fuhren ein letztes Mal mit dem gläsernen Aufzug. Als ich die Rechnung zahlte, machte Oriana ein gequältes Gesicht. Vielleicht suchte sie, wenn sie wollte, daß wir im voraus ein Zimmer buchten, nicht die Sicherheit, sondern war einfach nur geizig. Auch wenn wir nicht sonderlich viel hatten, über Geld machte ich mir keine Sorgen, es würde sich schon etwas ergeben.

Nachdem wir unsere Taschen in das billigere Hotel gebracht hatten, spazierten wir ziellos durch die Stadt. Es gab eine Burg in der Nähe, die Oriana besichtigen wollte, und irgendeine Kirche, deren Fenster besonders schön oder alt oder bunt waren. Alleine hätte ich solche Gebäude kaum besichtigt, ich fand, daß es nicht solche Attraktionen waren, die eine Stadt ausmachten. Mir gefiel es, durch die Gegend zu laufen, mir Häuser, Geschäfte und Menschen anzusehen. Hier, in dieser Stadt, waren die Straßen sehr breit und großzügig angelegt, es gab riesige Altbauten, ein Geruch hing in der Luft, ein Geruch, als würden die Häuser noch den letzten Rest Winter ausschwitzen. Oriana war ganz begeistert von einem neueren Gebäude, dessen Stil sie an den Architekten Baller erinnerte. Ich hatte den Namen noch nie vorher gehört.

Das Hoftor eines Hauses stand offen, und ich ging einfach hinein und trat durch einen kurzen Gang mit einer gewölbten Decke in den großen kopfsteinbepflasterten Innenhof, links und rechts standen Bäume. Es wirkte so friedlich, man konnte sich geborgen fühlen auf diesem riesigen Platz. Ich legte den Kopf in den Nacken und sah mir die Balkone an, die mit einem einfachen Metallgitter umfriedet waren. Auf manchen waren Blumen, auf anderen hing Wäsche auf der Leine, auf einem saßen zwei Frauen in weiten Kleidern und legten Aprikosen zum Trocknen aus.

– Wie schön das hier ist, so müßte man wohnen, sagte ich zu Oriana, die hinter mir stand. Hier kannst du atmen, abends holst du dir einen Stuhl runter, setzt dich unter diesen Baum, einen Tee, etwas zu rauchen und dann: Da merkte ich, daß es nichts Besseres dabei gibt, als fröhlich sein und sich gütlich tun in seinem Leben. Sela.

Ich breitete die Arme aus und sah mich schon dort sitzen, seltsamerweise allein. Oriana stellte sich in die Mitte des Hofs und schien von etwas Ähnlichem zu träumen. Aus den Mündern der Frauen sprudelten Worte hervor. Gleichzeitig hielten sie inne und sahen kurz zu uns herab, dann nahmen sie wieder Aprikosen aus dem Eimer, halbierten sie mit einem Messer, legten die Kerne zu den anderen Kernen und die Hälften in die Sonne. Oriana und ich standen da, ich setzte an, etwas zu sagen, doch sie war schneller: Es riecht so gut. Das hatte ich auch sagen wollen. Aprikosenduft.

Keine einzige Wolke war am Himmel, als wir den Hügel zur Burg hochstiegen. Es war heiß, wir schwitzten, und ich hatte keine Spucke mehr im Mund. Oben kauften wir uns in einem Souvenirladen etwas zu trinken. Nicht ganz so teuer, wie erwartet, dachte ich, als die Frau an der Kasse die Zahlen eintippte. Doch es war der Preis für eine Dose, sie drückte eine Taste, und der Betrag verdoppelte sich.

Von dem Hügel hatte man einen herrlichen Blick auf die Stadt, den Fluß, die Dächer, erkannte das Parlament, die Kirche, die Insel in dem Fluß, und der blaue Fleck dort, das war wahrscheinlich das überfüllte Freibad.

Als wir wieder hinunterstiegen, kam uns ein ungewohnter Duft aus einer Bäckerei entgegen. Wir traten ein, zeigten auf die Sachen, die wir wollten, ohne eine Ahnung zu haben, was davon süß, was salzig und was herzhaft war, und dann setzten wir uns mit einer Flasche Wasser, die halb soviel gekostet hatte wie eine Dose, in den Park und bissen vorsichtig in die Teilchen, ließen uns überraschen. Ich saß mit Oriana im Gras, wir hatten nichts zu tun, außer zu probieren. Während wir uns vollkrümelten, versuchten wir Worte für das Gebäck zu finden.

– Das hier, das schmeckt, als müßte es Talabi heißen, sagte Oriana.

Ja, das war genau das richtige Wort. Dieses Ding mit der süßen Walnußfüllung mußte einfach Talabi heißen.

Als wir satt waren, kramte Oriana den Stadtplan hervor.

– Diese Kirche ist hier ganz in der Nähe. Sie wurde im 9. Jahrhundert von …

– Laß uns einfach hingehen, sagte ich, ich kann keine romanische von einer gotischen Kirche unterscheiden.

– Du interessierst dich nicht für Architektur.

Orianas Stimme klang wie die eines Konditors, der zum ersten Mal merkt, daß seine Angebetete weder was für Kuchen noch für Torten übrig hat.

– Nein, sagte ich, nicht für Architektur. Aber ich gehe gerne mit dir mit, fügte ich hinzu. Vielleicht klang es unbeholfen, aber es war mein Ernst. Wir redeten kein Wort mehr.

In der Kirche war es kühl, dämmrig und ruhig. Während Oriana sich die Fenster ansah, setzte ich mich auf eine Bank, ich wurde ganz ruhig und entspannt, der Schweißfilm auf meiner Haut verschwand. Ich mochte solche stillen, erhabenen Orte. In den Städten konnte man diese Atmosphäre, die einen leise und friedlich werden ließ, fast nur in diesen alten großen Gotteshäusern finden, auf dem Land war das viel leichter.

– Besser eine Hand voll mit Ruhe, als beide Fäuste voll mit Mühe und Haschen nach dem Wind, sagte ich halblaut, als wir rausgingen. Es waren die ersten Worte nach unserem langen Schweigen.

– Warum kannst du das eigentlich? fragte Oriana.

– Was?

– Aus der Bibel zitieren. Du bist doch nicht christlich erzogen.

– Das sind keine richtigen Zitate. Ich ahme nur die Sprache nach.

– Und warum kannst du das? Du mußt die Bibel doch gelesen haben.

– Ich habe sie nicht wirklich gelesen. Ich habe angefangen mit dem Prediger Salomo, weil mich interessiert hat, wer denn dieser weise Mann ist, auf dessen Grab man angeblich den ersten Hanf entdeckt hat. Mir gefiel die Sprache, etwas veraltet, aber so kraftvoll und poetisch, sie hatte etwas Mächtiges, Beschwörendes. Das Buch der Bücher. Die Geschichten haben mich nie interessiert, nur die Offenbarung, die Psalmen, die anderen Weisheitsbücher, die habe ich gerne gelesen. Und du?

– Ich kenn mich kaum aus.

– Als Sizilianerin muß deine Mutter doch strenggläubige Katholikin gewesen sein.

– Ja, meine Mutter war gläubig, aber mich haben immer nur die Mythen interessiert, die meine älteste Schwester Martha uns erzählt hat. Dagegen war die Geschichte von Moses langweilig. Wenn Martha auf uns aufpassen mußte, las sie uns Geschichten vor, wie die Welt erschaffen wurde und welche Götter es gibt und was für Helden. Es schien mir wichtiger zu wissen, wo das Feuer herkam, als zuzuhören, wie dunkel es im Bauch eines Wals war. In den Mythen ging es oft ums Erwachsenwerden, ich habe geglaubt, daraus könnte ich mehr lernen. Eine Zeitlang habe ich natürlich alles durcheinandergebracht, aber ich denke gerne daran zurück, ich will meinen Kindern später auch so etwas erzählen. Ich konnte mir alles so gut vorstellen. Wie Viracocha, der Inka-Gott, die Menschen aus Lehm formte und ihnen die Kleider auf den Leib malte. Ich habs vor mir gesehen, es war schöner als die Version mit den Feigenblättern. Nie hab ich mir Abraham vorgestellt oder Noah oder Rapunzel oder Dornröschen, immer nur diese Götter, wie sie irgendwo zusammenleben. Ich habe zu Renenutet gebetet, der ägyptischen Göttin der Kinder. Das fand ich so toll, daß sie eine Göttin extra für Kinder hatten, da fühlte ich mich besser aufgehoben. Und später, wenn ich groß wäre, könnte ich zu den anderen Göttern wechseln. Als hätte ich eine Prüfung bestanden.

Wir schwiegen, und ich wünschte mir, eines Tages ihre Familie kennenzulernen.

– Und deine Mutter hat euch allen das Wahrsagen beigebracht?

– Nur Martha, Viola und mir. Elena, unsere jüngste Schwester, wollte nicht.

– Aber wieso ist deine katholische Mutter Wahrsagerin? Sie pfuscht doch Gott ins Handwerk. Eines jeden Wege liegen offen vor dem Herrn, und du sollst nicht mit ihm wetteifern. Und keinem wird sein Leben verlängert noch verringert, ohne daß es in einem Buch stünde. Keiner kennt sein Schicksal.

– Wir pfuschen ihm nicht ins Handwerk, wir lüften nur den Schleier ein Stück. Die Maya glaubten, daß die Götter die Menschen aus Mais erschaffen haben, aber es gab ein Problem: Sie waren zu gut gelungen, waren erleuchtet wie die Götter, sie wußten, was, wann, wo im Universum geschah und warum. Also legten ihnen die Götter Schuppen auf die Augen. Und seitdem wollen die Menschen jemanden, der für sie auf den Grund sieht. Und bei uns liegt das in der Familie, meine Urgroßmutter war schon Wahrsagerin. Aus Dörfern, die zwei Tagesreisen entfernt waren, kamen sie, um sich von ihr die Karten legen zu lassen.

Wir waren zum Fluß geschlendert, nun setzten wir uns auf eine Bank, es wurde langsam Abend, und wir sahen zu, wie die Sonne ihre Farben änderte. Eine junge Frau mit einem kurzen Rock und einem engen T-Shirt mit tiefem V-Ausschnitt ging an uns vorbei, große Brüste, Nylonstrümpfe, Stöckelschuhe, alles betont sexy, ohne billig oder schlampig zu wirken.

– Ist dir das auch schon aufgefallen, wie die Frauen hier rumlaufen? fragte Oriana.

– Ist Stevie Wonder eigentlich blind, oder warum wackelt der immer so mit dem Kopf?

Den ganzen Tag hatte ich geguckt, es gab überdurchschnittlich viele vollbusige Frauen, aber das hätte mich kaltgelassen, wenn sie nicht trotz der Hitze Nylons angehabt hätten, hochhackige Schuhe, knappe Kleider, fast keine, die nicht versuchte, ihre Reize zur Geltung zu bringen. Die Spielart des Feminismus, bei der man glaubte, sich in Kartoffelsäcke hüllen zu müssen, damit man den Chauvinisten zeigte, wo es langgeht, hatte sich hier noch nicht durchgesetzt.

Sicher, es war bequemer in Turnschuhen oder Sandalen rumzulaufen, sicher wollte ich eine Frau an meiner Seite, die durchaus mal vierzehn Schritte hinter einem Bus herlaufen konnte, aber es war aufregend, wie diese Absätze den Gang veränderten, wie das Becken kippte und die Frauen aussahen, als wären sie bereit, sich vornüberzubeugen, als wären die Absätze Bestandteil eines modernen Fruchtbarkeitsrituals.

– Ein Traumland für Nylonfetischisten, treibt die Fans von Strapsen erst auf die Straßen, dann in die Klapsen, wo Masturbisten auf Kisten sitzen und im hohen Bogen auf die Schwestern spritzen, sich die Stange reiben mit den Gedanken bei langen Beinen, zwischen denen sie gefangen bleiben.

– Das war nicht so schön, sagte Oriana. Erregt dich das eigentlich?

– Das Rappen?

– Die Strumpfhosen.

– Ja.

Ein Wind kam auf, eine willkommene Abkühlung, die wir genossen. Es dauerte einige Zeit, bis wir uns entschließen konnten, aufzustehen und uns auf den Weg ins Hotel zu machen. Wir wollten noch duschen, bevor wir nach einem besseren Lokal als gestern abend Ausschau hielten.

Als wir in die Straße einbogen, in der das Hotel war, ging vor uns eine Frau, die einen Kinderwagen schob. Sie trug ein kurzes weißes Kleid mit blauen Punkten und flache Sandalen.

Ich sah auf ihre Beine, nicht aus Lüsternheit, sondern weil ich gerade versuchte mir vorzustellen, wie angenehm es wohl war, im Sommer ein luftiges Kleid zu tragen. Es mußte doch ein schönes Gefühl sein, eine Hose hing auf den Hüften und klebte an den Beinen, aber in einem Kleid konnte man sich bestimmt freier fühlen, womöglich auch verletzlicher.

Es kam völlig überraschend. Eine Windböe wehte der Frau das Kleid hoch, für vielleicht eine Sekunde konnte ich ihren Hintern sehen. Sie hatte keinen Slip an.

Sie hatte keinen Slip an, ich konnte es kaum fassen, eine Frau mit einem Kinderwagen, das tat sie doch nicht, um einem Mann seine Phantasien zu erfüllen. Das war erregender als alles, was ich heute bisher gesehen hatte. Vergiß die langen Beine und die kaum verborgenen Brüste, die auf und nieder wippen, die knappen Höschen, die sich abzeichnen, die schimmernden Nylons und die gekippten

Becken. Dieses Bild hätte ich mir in meiner Phantasie nie ausmalen können.

Ich sah zu Oriana, sie hatte es auch gesehen und war offensichtlich ebenfalls erregt. Sie zog die Augenbrauen leicht zusammen, ihr Körper schien sich zu spannen. Wir nickten uns zu und gingen einen Schritt schneller, überholten die junge Mutter, es wäre albern gewesen, auf eine zweite Böe zu warten, so etwas konnte man nicht wiederholen. Ich sah der Frau kurz ins Gesicht und stellte mir vor, ganz aus der Nähe in diese kleinen, blauen Augen zu gucken.

Als wir die Treppe zu unserem Zimmer im zweiten Stock hochstiegen, ging ich hinter Oriana, die ihren Rock hochraffte, damit ich ihren Hintern sehen konnte. Sie hatte einen einfachen weißen Slip an. Sie ließ den Rock wieder fallen, schloß die Tür auf, wir gingen rein, ich knöpfte meine Hose auf, ließ Oriana auf dem Bett knien, schob den Rock hoch und den Slip beiseite.

Irgendwann war diese hastige Gier verflogen, es war Sex. Wir beschlossen, ihn nach dem Essen zu zelebrieren.

Es dauerte nicht lange, bis wir ein angenehmes Lokal fanden, das nach hinten raus eine Terrasse hatte. Wir tranken Wein und teilten uns eine Meeresfrüchteplatte, Pfahlmuscheln in Tomatensauce, gefüllte Tintenfischtuben, Garnelen in Knoblauchöl, Schollenfilets, gebratene Babytintenfische, Krabben, Krebsfleisch, eine Art Algensalat. Oriana hatte Bedenken wegen des Preises, aber das schien schnell vergessen, als die üppige Platte dann vor uns stand.

Während wir aßen, erzählte Oriana von ihrem ehemaligen Verlobten, mit dem sie fast zwei Jahre zusammengelebt hatte. Er arbeitete in einem Museum, als sich die beiden kennenlernten. Ein schlanker blonder Mann, der manchmal etwas abwesend wirkte. Sie hatte mir vorher schon erzählt, daß er Völkerkundler war, jetzt, da ich wußte, was Oriana all diese Mythen bedeuteten, fühlte ich Neid. Doch Mario war krankhaft eifersüchtig gewesen, sie durfte nicht mehr allein weg, mußte immer Rechenschaft ablegen, und irgendwann fing er sogar an, ihre Taschen zu durchwühlen.

– Er wollte alles wissen, alles kontrollieren. Als er mich dann bat, aufzuhören zu arbeiten, wußte ich, daß es nicht mehr geht. Bis dahin hatte ich es als ein Opfer betrachtet, das mir unsere Liebe wert war. Doch als ich aufhören sollte wahrzusagen, war es, als wolle er mir mein Talent nehmen, mein Leben. Er wollte nicht einsehen, daß das ein Beruf ist, nicht einfach nur ein Hobby, mit dem ich etwas Geld verdiene. Es kam mir vor, als würde er versuchen, mich zu zerstören. Er hat mich geliebt, das glaube ich schon, wir konnten uns sehr nah sein, aber so ging es nicht.

Wir ließen uns Zeit mit dem Essen, es wurde immer später, bald waren außer uns kaum noch Gäste da. Als wir Wein nachbestellten, kamen wir mit dem Kellner ins Gespräch. Der Mann war um die vierzig, wirkte ein wenig steif, hatte einen Clark-Gable-Schnurrbart und sprach Deutsch mit starkem Akzent. Er sagte, wir würden gar nicht wie Deutsche aussehen, und Oriana erzählte von ihrer sizilianischen Mutter und ich von meinem türkischen Vater.

– Wir hatten einen türkischen Koch hier, sagte der Kellner, Oktay, verrückt, aber sehr lustig.

Ich erinnerte mich an Orianas Prophezeiung heute morgen, mein Herz schlug schneller, ich stotterte.

– So, so, so ein großer Mann, fast einsneunzig, eine Hakennase, mit einer Narbe hier über der Augenbraue?

– Ja, genau so, sagte der Kellner erstaunt.

– Einer, der nie traurig ist oder schlecht gelaunt. Er kann gut Leute imitieren.

– Imitieren?

– Nachmachen, er kann die Bewegungen von Menschen nachmachen, Pantomime.

– Ja, das konnte er sehr gut.

Ich saß da und wollte es nicht glauben. Ich hatte Oktay seit über sechs Jahren nicht gesehen, er war nach Saudi-Arabien gefahren, und nach dem Unfall hatte niemand mehr etwas von ihm gehört.

– Er ist mein Cousin, sagte ich und sah von Oriana zum Kellner.

Meine Stimme klang, als käme sie nicht aus meinem Mund.

– Wissen Sie, wo er hingegangen ist, als er hier aufgehört hat?

Wir saßen noch lange da, bestellten noch mehr Wein, und ich erzählte Oriana von Oktay.

– Er ist anderthalb Jahre jünger als ich, aber irgendwie war er immer wie ein älterer Bruder. Wir sahen uns nur in den Ferien, er wohnte mit seinen Eltern in Istanbul. Ich habe ihn immer bewundert, er war so mutig, so verrückt. Alle mochten ihn gerne, weißt du, manchmal war ich ein wenig eifersüchtig. Er schien nie traurig zu sein, er nahm das Leben nicht richtig ernst, von klein auf. In all den Jahren habe ich ihn nur einmal weinen sehen. In der neunten Klasse ist er sitzengeblieben, weil sein bester Freund sitzengeblieben ist. Er hat einfach nicht mehr gelernt, um wieder mit Kerim in dieselbe Klasse zu gehen. Er hat es auch noch angekündigt. Ich warte auf Kerim, hat er seinen Eltern gesagt, und sie konnten ihn nicht davon abhalten.

Nach der Schule hat er dann die Aufnahmeprüfungen zur Universität nicht geschafft und hat erst mal ein Jahr gekellnert, vierzehn, sechzehn Stunden am Tag, sieben Tage die Woche, und er hat sich nie beschwert. Ist doch ein guter Job, hat er seinem Vater gesagt, der gehofft hatte, ihm würden endlich die Augen aufgehen, wenn er die harte Seite des Lebens kennenlernt. Ich bin jeden Tag auswärts essen, im Gegensatz zu euch, hat er seine Eltern aufgezogen. Es hat ihm nicht mal was ausgemacht, daß er gar keine Zeit für Mädchen hatte. Egal, was passierte, Oktay hat gelacht. Und er hat auch die anderen immer aufgemuntert. Wenn wir abends ausgingen, hat er sich um alle gekümmert, er wollte, daß jeder sich gut amüsiert, und wirkte dabei nicht mal wie ein nervöser Gastgeber. Er war jemand, der wußte, daß er gute Laune verbreiten konnte, und es reichte ihm nicht, Spaß zu haben, er wollte mit allen teilen. Doch er konnte dich auch in Ruhe lassen, er wußte, wann es gut war, er war kein Vergnügungsterrorist. Und er konnte verdammt gut zuhören.

Im folgenden Jahr hat er dann die Aufnahmeprüfungen geschafft, aber mit so wenigen Punkten, daß er nur für ein Studium der Ernährungswissenschaften zugelassen wurde. Aus dir wird nie etwas, hat sein Vater gesagt, mit so einem Studium bekommt man doch keine Arbeit, die einen ernährt.

Doch Oktay hat das gar nicht beeindruckt, nach dem Studium hat eine Zeitlang in Werkskantinen gearbeitet, er war für die Menüzusammenstellung und den Einkauf verantwortlich, er hat oft gekündigt, manchmal ist er geflogen, nirgendwo blieb er lange. Nach Ablauf der Probezeit forderte er meistens eine Verdopplung seines Gehalts, könnte doch sein, daß sie es zahlen, sagte er.

Eines Tages hat er eine Stelle in Saudi-Arabien angenommen. Keine Frauen, eine Hitze, daß du nicht auf die Straße kannst, kaum Ablenkung oder Unterhaltungsmöglichkeiten, fast keine Gesellschaft. Er war Koch bei einem Scheich, ich weiß gar nicht, was er sich davon versprochen hat, es ging ihm nie ums Geld. Irgendwann ist er verschwunden, weg. Es wurde gemunkelt, er habe mit einer der Frauen des Scheichs geschlafen und es sei irgendwie rausgekommen. Zuzutrauen wärs ihm.

Ich hab ihn oft beobachtet und gestaunt, daß es so einen Menschen gibt. Lern was aus deinen Fehlern, das war das Wichtigste, was mein Vater versucht hat mir beizubringen. Und Oktay war das immer egal, in seinen Augen hat er nie Fehler gemacht, es war immer alles gut und richtig so. Niederlagen haben ihn nicht im geringsten beeindruckt, er hat sich nie gegrämt, glaube ich.

Sechs Jahre, sechs Jahre kein Lebenszeichen. Er und Borell, an die beiden muß ich oft denken. Als Oktay und ich noch klein waren, gab es in Tophane, in Istanbul, unweit der Wohnung von Oktays Eltern, ein großes Holzhaus mit einer himmelblauen Tür, wo Männer ein und aus gingen und manchmal Frauen aus dem Fenster lehnten und rauchten. Wir wußten nicht, was darin vor sich ging, aber einer der Männer, die das Haus besuchten, war Borell. Ein schlanker Mann mit breiten Schultern und dunklen, etwas traurigen Augen, immer tadellos gekleidet in einen dreiteiligen schwarzen Anzug. Er ging jeden Tag, den der Herr werden ließ, in dieses Haus, und ich verliebte mich in seinen Gang. Er ging so aufrecht und elegant, es sah so geschmeidig aus, als würde er sich zu einer Melodie bewegen, die nur er kennt. Und er war auf eine gelassene Art heiter, wenn er den Hügel runterging zu dem Haus, und er sah heiter aus, wenn er wieder hochschritt. Oktay brachte in Erfahrung, daß er Franzose war und von Beruf Schriftsteller. Wir folgten ihm heimlich und fanden heraus, wo er wohnte, manchmal stellte ich mich unter sein Fenster und hörte seine Schreibmaschine klappern, aber ich habe nie ein Buch von ihm gefunden. Bis ich zwanzig wurde, war ich derart fasziniert von diesem Mann, daß ich genauso werden wollte wie er.

– Ein Schriftsteller?

– Ja, und genauso souverän und locker, ein gutaussehender Fremder, ein Abenteurer, völlig ungebunden, ein Autor. Doch dann ging mir auf, daß am Anfang nichts geschrieben stand und Bücher Luxus sind. Du willst zuerst was zu essen, ein Dach über dem Kopf, Frieden, dann erst kannst du dich darum kümmern zu lesen. Aber erzählte Geschichten hat es schon immer gegeben. Ich habe gemerkt, daß mich der Klang der Worte mehr anspricht, der Rhythmus, die Wiederholungen, die Tradition der naqqâl, der orientalischen Berufserzähler, die von Dorf zu Dorf zogen und die Menschen mit ihren Geschichten unterhielten, sie zu Tränen rührten und ihnen Gelächter schenkten. Schreiben erschien mir bald etwas für ambitionierte Kulturkacker. Ich wollte rappen. Rappen, weißt du, Shows, Musik, Stabreim auf Fahrschein reimen, Beats, die mein Sparschwein heilen. Ich wollte draußen bei den Menschen sein, wenn ich ihnen etwas erzählte, ich wollte nicht alleine zu Hause sitzen.

Trotzdem, hätte ich je die Möglichkeit gehabt, so zu werden wie Borell, dann hätte ich es getan. Das Haus ist irgendwann abgebrannt, und Borell ist verschwunden.

– Bist du je hingegangen?

– In das Haus? Nein, in dem Jahr, als ich endlich genug Geld hatte, ich muß vierzehn oder fünfzehn gewesen sein, stand das Haus schon nicht mehr.

Ich nahm noch einen Schluck von meinem Wein, biß mir auf die Unterlippe, sah in die Ferne, schüttelte den Kopf.

– Ich möchte Oktay suchen.

Oriana nickte. Der Kellner hatte uns erzählt, daß er in eine Küstenstadt gegangen war. Wir hatten sowieso noch ans Meer gewollt.

Wir waren die letzten, die das Lokal verließen, Clark Gable wünschte mir noch viel Glück bei der Suche und weigerte sich, Trinkgeld anzunehmen. Auf der Straße sagte Oriana:

– Ich möchte dir was zeigen.

Sie schaute sich kurz um, dann hob sie ihren Rock. Unter der hautfarbenen Strumpfhose schimmerten dunkel die Haare.

Oktay und Borell verschwanden aus meinem Kopf, als sie es sich gerade dort bequem machen wollten.

Wieder hatte ich es eilig, ins Hotel zu kommen. Ich kannte Oriana erst seit zwei Wochen, und bisher hatte es keinen Tag gegeben, an dem wir keinen Sex gehabt hatten. Ich weiß nicht, was die Phrase *gut im Bett* bedeuten soll. Das war nicht eine Sache der Technik oder der Lautstärke oder gar Leidenschaft, das war vielleicht nur ein Weg, den man gefunden hatte, seiner Freude und seinem Verlangen Ausdruck zu verleihen. Mit Oriana hatte ich den Sex meines Lebens.

Im Zimmer zog ich mich hastig aus, setzte mich aufs Bett, nahm meinen halbsteifen Schwanz in die Hand und fing an, langsam zu wichsen. Oriana ließ ihren Rock fallen, zog ihr T-Shirt aus, stand dann am Fußende des Bettes, nur in dieser Strumpfhose und den schwarzen hohen Schuhen. Sie stellte einen Fuß auf die Bettkante und zog die Strumpfhose mit beiden Händen ein Stück höher.

Das Nylon machte die Formen weicher, runder, ließ noch ein wenig Platz für die Phantasie. Oriana nahm den Fuß wieder runter, drehte sich um, ich starrte auf ihren großen runden Hintern, die beiden dunklen Falten darunter, die einen ähnlichen Schwung hatten wie ihre Augenbrauen, nur in die andere Richtung. Ich sah zu, wie sie verschwanden, als sie sich vorbeugte.

Als sie wieder zu mir sah, wanderte ihr Blick langsam von meinem Oberkörper tiefer.

– Es sieht schön aus, wie du das machst.

Sie stieg mit den Schuhen aufs Bett, setzte sich auf meine Brust und schob ihre Scham an meine Nase. Ich sog den

Duft ein, man konnte nicht alles sehen, aber alles riechen, meine Hand bewegte sich jetzt schneller, ich wimmerte leise, ließ meine andere Hand am Nylon auf und ab gleiten, hörte das Knistern, spürte das glatte Material.

Ich versuchte den Schritt ihrer Hose mit meinen Zähnen aufzureißen, und als das nicht klappte, nahm ich beide Hände zu Hilfe.

Dann schmecke ich sie, ein leicht salziger, seidiger Geschmack. Sie gleitet runter, preßt dabei ihren Po an meinen Bauch und schließlich gegen meine Schenkel. Mein Schwanz ist zwischen ihren Beinen, es sieht fast aus, als käme er aus dem Loch in ihrer Strumpfhose. Sie sagt:

– Das ist meiner, und dann sehe ich hoch, fasziniert davon, wie sich ihre Titten bewegen, während sie wichst. Ich sehe wieder runter zu diesem fremden Schwanz, der zwischen ihren Schenkeln aufragt und an dem sie reibt, um sich Vergnügen zu bereiten. Dann läßt sie ihn verschwinden, doch hört nicht auf zu masturbieren. Sie legt ihren Zeigefinger in die Mulde zwischen meinen Schlüsselbeinen. Ich schließe die Augen, und bald spüre ich, wie es ihr kommt.

Wir halten ein wenig inne. Leg dich auf den Bauch, sage ich dann, setze mich auf ihren Rücken, mein Gesicht zu ihren Füßen, stecke meinen Schwanz unter die Strumpfhose, er reibt an ihren Arschbacken und dem Nylon. Mesut blickt runter, stößt unkontrolliert und schnell, als er es kommen fühlt, verschwindet alles. Hinterher sieht er durch den Nylonschleier, wie sein Sperma die Poritze runterläuft. Gefällt ihm.

3

Wir saßen im Zug, der an die Küste fuhr. Morgens hatten wir unsere Taschen am Bahnhof eingeschlossen und waren noch in der Stadt rumgelaufen. Wir hatten uns das Völkerkundemuseum angesehen, Eis gegessen, auf den Plätzen rumgetrödelt, am alten Rathaus, an dem Brunnen vor der großen Turmuhr. Ich hatte es nicht eilig gehabt wegzukommen, ich glaubte an Orianas Prophezeiung, ich würde Oktay sehen, einen Tag früher oder später machte keinen Unterschied.

Die Schienen verliefen über weite Strecken parallel zu einem Fluß, in dem sich die Abendsonne spiegelte. Die Ufer waren grün, sahen unberührt aus, unschuldig. Ich fragte mich, ob es eine Möglichkeit gab, dorthin zu gelangen, einen Tag dort zu verbringen, mit einem Picknickkorb und sonst nicht viel. Einfach allein am Wasser sitzen und die Züge ignorieren, die manchmal vorbeifahren.

Schon oft hatte ich auf Auto- oder Zugfahrten aus dem Fenster gesehen und Orte entdeckt, an denen ich bewegungslos sitzen wollte, Orte, die mich an meine Kindheit erinnerten, die nach Erfüllung aussahen. Aber ich rauschte an ihnen vorbei, sie waren zu bloßen Versprechen geworden.

Es war immer noch heiß, unsere nackten Beine klebten an den Kunstledersitzen. Wenn ich aufstand, um meinen Kopf aus dem Fenster zu halten, hatte ich das Gefühl, ich würde eine Pfütze hinterlassen.

– Wie hat das bei dir angefangen? Wann hast du zum

erstenmal eine Ahnung bekommen, was Sex ist? fragte ich Oriana.

Es saßen Menschen in Hörweite, doch keiner erweckte den Eindruck, als könne er unsere Sprache verstehen. Ältere Frauen mit ihren Enkeln, ein paar, die aussahen wie Hausmütterchen, schweigsam rauchende Männer mit buschigen Schnauzern und groben Gesichtszügen, Tagelöhner vielleicht oder Weinbauern.

– Wir sind im Wald spazierengegangen, ich muß fünf oder sechs gewesen sein. Ich wußte, daß Jungen da unten etwas haben, aber ich hatte es noch nie gesehen. Ich hatte ja nur Schwestern. Wir haben ein Picknick gemacht, meine Eltern saßen hinterher auf der Decke, und ich habe mit meinen Schwestern im Wald gespielt, bis ich Durst bekam. Ich wollte zurück, um etwas Hagebuttentee zu trinken. Ich habe wohl erwartet, daß meine Eltern einfach nur dort sitzen oder liegen und meine Mutter vielleicht ein Lied singt. Doch mein Vater stand vor einem Baum und pinkelte. Das war erstaunlich, ich war ganz aufgewühlt von dem Anblick, dieses fremdartige Ding, das er da in der Hand hielt. Vermutlich hat er gar nicht gemerkt, daß ich ihn gesehen habe. Von dem Tag an habe ich immer wieder versucht Martha zu überreden, mit mir in den Wald zu gehen, weil ich es alleine nicht durfte. Jedesmal wenn wir dort einen Mann trafen, habe ich gehofft, er würde sich an einen Baum stellen und dieses fleischige Ding aus seiner Hose holen, um zu pinkeln.

Später habe ich meinen Vater noch mal gesehen, in einem Hotelzimmer, ich weiß nicht mehr, wohin wir fuhren, wir hatten die Strecke nicht geschafft und mußten im Hotel übernachten. Elena, meine Eltern und ich, Martha und Viola waren nicht dabei. Die Badezimmertür stand einen Spalt auf, als mein Vater sich auszog, um zu duschen. Er hatte uns den Rücken zugedreht, aber er stand vor einem

Spiegel. Da habe ich zum erstenmal auch die Haare und den Sack gesehen. Ich war ganz aufgeregt und konnte lange nicht einschlafen. Elena hatte es auch gesehen, und manchmal spielten wir zusammen Papa: Wir klemmten uns Filzstifte zwischen die Beine, nachdem wir uns Haare vorne drauf gemalt hatten. Dabei kicherten wir immer und versuchten, uns gegenseitig den Stift zu klauen. Das hat erst aufgehört, als ich merkte, daß ich langsam echte Haare bekam.

Sie schaute zum Fenster raus auf den Fluß, ich versuchte mir zwei Mädchen vorzustellen, die sich Schamhaare auf ihre nackten Pflaumen malten.

– Das fand ich als Kind auch total schön, sagte Oriana, ich habe oft einfach die Namen der Flüsse vor mich hingemurmelt. Mississippi, Kongo, Euphrat, Tigris, Mekong, Donau, Wolga, Ganges, Amazonas, Rio Grande, Main, Volturno, Nil, das klang so fremd und schön, ich habe mir Wassergeister und Elfen vorgestellt, die in diesen Flüssen leben. Das Meer war mir immer etwas zu groß.

Sie drehte sich zu mir, das Verträumte verschwand aus ihrem Blick.

– Und wie wars bei dir?

Ich wußte nicht, ob sie fragte, weil es sie interessierte oder weil sie ahnte, daß ich Lust hatte, es zu erzählen.

– Eines Sonntagmorgens, ich ging noch nicht zur Schule, kroch ich zu meinen Eltern ins Bett. Ich wollte kuscheln, aber ich hatte einen Ständer. Ich wußte nicht, was das ist. Das hatte ich manchmal, aber an dem Morgen ging er nicht weg, und das störte. Mein Pillermann steht auf, warum? fragte ich meine Eltern. Mein Vater sagte, das könne passieren, wenn man auf die Toilette muß. Ich war aber gerade schon, sagte ich, und guck, ich zog mir die Schlafanzughose runter, er ist immer noch oben.

Damals habe ich das nicht mit Sex in Verbindung

gebracht, ich wußte überhaupt nicht, was Sex ist, und diese Versteifung hat mir auch keine Lust bereitet, es war nur eine seltsame Veränderung an meinem Körper, die ich nicht verstand. Abends vor dem Einschlafen habe ich immer mit meinem Schwanz gespielt, das weiß ich noch, aber er war selten hart, ich mochte es einfach, meine Hand in die Schlafanzughose zu stecken.

– Das habe ich ja noch nie gesehen, sagte Oriana, einen kleinen Jungen mit einem Steifen. Das sieht bestimmt süß aus … Und wann warst du zum erstenmal aufgewühlt und verwirrt?

– Es war in den Ferien, ich war mit meiner Cousine Ebru für einen Tag bei meiner Oma. Ich hatte Durchfall und hab mir in die Hose gemacht, das war mir sehr peinlich. Meine Oma meinte, ich solle einfach die Hosen ausziehen, sie würde sie waschen, bei dem Wetter wären sie schnell wieder trocken. Genier dich nicht, hat sie gesagt und mich in T-Shirt und Sandalen raus in den kleinen Garten hinter dem Haus geschickt. Ebru und ich müssen damals etwa fünf gewesen sein, sie kam mit in den Garten, und ich habe meine Hand vor meinen Schwanz gehalten, und Ebru hat versucht einen Blick zu erhaschen. Sie stand da und grinste. Ich habe mich geschämt und gedemütigt gefühlt. Gleichzeitig war ich stolz darauf, etwas zu haben, das sie unbedingt sehen wollte. Immer wieder habe ich die Hand kurz weggenommen.

Im selben Urlaub sind unsere Familien auch zusammen ans Meer gefahren. Da habe ich mich gerächt. Nachdem wir vom Strand zurück waren, habe ich gewartet, bis sie ins Zimmer ging, um sich umzuziehen, habe ihr noch einige Sekunden gegeben, bis sie ihren Badeanzug ausgezogen hatte, und habe dann die Tür aufgerissen. Sie stand nackt da, griff sich zwischen die Beine, damit ich nichts sehe, und warf sich rücklings auf das Bett und schrie so laut, daß meine Tante kam. Aber sie hat Ebru nur ausgeschimpft, sie solle sich nicht so anstellen, wir seien doch fast Geschwister. Das hat mich sehr gefreut, es war, als hätte meine Tante mir das Recht gegeben, Ebru nackt zu sehen. Doch das ist in dem Sommer nicht mehr passiert. Ich habe mir noch oft diesen Spalt vorgestellt, den ich kurz gesehen hatte.

– Wir sind früher manchmal ins Dampfbad gegangen, meine Mutter, meine Schwestern und ich. Martha und später auch Viola schienen es zu genießen, daß sie schon Brüste hatten und Elena und ich noch nicht. Ich war neidisch, und als später meine Brust anfing zu wachsen, freute ich mich und setzte mich im Dampfbad immer so hin, daß man mich gut sehen konnte. Aber ich stellte mir vor, daß meine Mutter mich gezwungen hätte, ins Dampfbad zu gehen und meine kleinen Brüste den anderen Frauen zu präsentieren. Manchmal stellte ich mich auch so hin, als würde ich für ein Foto posieren, und malte mir aus, daß meine Mutter diese Aktaufnahmen für viel Geld verkaufte. Ich glaube, ich weiß, wie du dich mit deiner Cousine gefühlt hast, die großen, heftigen Gefühle vermischen sich immer, du wirst bloßgestellt und bist gleichzeitig stolz, du schwankst zwischen Macht und Hilflosigkeit.

Jetzt sah ich Oriana in einem Dampfbad für Aktfotos posieren, ich erinnerte mich an die Dampfbäder in der Türkei, in denen ich gewesen war, und dann fiel mir der Satz ein, der mich so erregt hatte, daß ich ihn nicht vergessen konnte.

– Als ich elf oder zwölf war, habe ich mal mit meinen Eltern einen Sultanspalast besichtigt. In einem großen Innenhof mit schönem Garten und einem Schwimmbecken erklärte mir meine Mutter: Hier sind die Frauen des Sultans geschwommen. Und nach einer kleinen Pause fügte sie hinzu: Natürlich nackt. Ich weiß nicht, warum sie glaubte, das sagen zu müssen. Ich fand es so aufregend, mir vorzustellen, ich wäre der Sultan und würde dasitzen und diesen nackten Frauen beim Schwimmen zusehen. Wenigstens einmal wollte ich ausgiebig eine nackte Frau betrachten. Ich glaube, das war in demselben Sommer, als meine Tante vergessen hatte, die Badezimmertür abzuschließen. Ich ging rein und sah, daß sie sich schon bis auf ein weißes Unterhemd ausgezogen hatte. Sie drehte sich zu mir um, und wir standen vielleicht eine Sekunde so da. Ihr schwarzer Busch kam mir bedrohlich vor, so dicht und vorstehend. Sie stieß einen kleinen Schrei aus, und ich schloß die Tür und rannte weg. Ich habe lange bedauert, so wenig gesehen zu haben.

Oriana lachte.

– Bäder sind etwas Wundervolles, sagte sie, ich habe mir gerne orientalische Badehäuser vorgestellt, Hamams?

Ich nickte.

Ein Hamam, mit Ornamenten an den Wänden und Rundbögen, versteckten Nischen, Kuppeln mit kleinen Fenstern, Dampf, nassen, fast durchsichtigen Badetüchern, lauter halbnackten und nackten Frauen, die klönen und essen und sich entspannen. Es hatte so etwas Ausschweifendes.

– Hat es dich erregt, dir so etwas vorzustellen?

– Nein, das war nichts Sexuelles, es war mehr die überladene Atmosphäre, die mir gefallen hat. Wir hatten ein Buch mit Fotos von verschiedenen Bädern, in dem habe ich oft geblättert. Aber das war wahrscheinlich so, wie du Pirat werden wolltest oder Cowboy.

– Ich wollte nie Pirat werden oder Indianer, vielleicht Bruce Lee, aber im Grunde war immer Borell mein Held. Weißt du, dieser Mann sah so gut aus, so stark, so frei, und ihn gab es wirklich, also konnte ich auch so werden. Er hat manchmal gesungen, wenn er in seinem Hotelzimmer war, französisch, man konnte es bis draußen hören. Ich verstand kaum ein Wort, aber es waren so kraftvolle Lieder. Ich habe Borell nie mit Sex in Verbindung gebracht, nicht mal, als ich wußte, daß das Haus, in das er jeden Tag ging, ein Puff war. Ich habe viel darüber nachgedacht, es gefiel mir nicht, daß er für Sex bezahlte.

Draußen wurde es langsam dunkel, in etwa einer Stunde würden wir da sein. Ich hoffte, daß es nicht wieder so lange dauern würde, ein Hotel zu finden. Solche Gespräche erregten mich. Zumindest die mit Oriana. Ich konnte mich an andere Gespräche über Sex erinnern. Mit Frauen, mit denen ich vorsichtig ein Terrain erkundete, das wir noch nicht oder erst kürzlich betreten hatten. Ein Tasten, Prahlen, Wünschen, jede Menge Koketterie und Stolz. Es hatte mir gefallen, auch solche unschuldigen grammatikalischen Diskussionen, wie es denn nun richtig hieß: *Ich ficke dich in den Arsch* oder *ich ficke dir in den Arsch.* Doch das waren bloß Worte, die mich nie aufgeheizt hatten.

Jetzt drückte ich meinen Schwanz durch den Stoff meiner kurzen Hose, mehr eine unbedachte Bewegung als ein Ausdruck von nicht zu zügelnder Gier.

– Nicht mehr lange, flüsterte Oriana mir ins Ohr.

Das fand ich schön, daß sie das nun flüsterte, nachdem wir die ganze Zeit halblaut geredet hatten.

Ich dachte daran, wie wir uns kennengelernt hatten, es schien mir so lange her. Ich hatte am Flughafen auf einen Freund gewartet, der ein halbes Jahr fort gewesen war. Oriana saß auf einer Bank, einen schwarzen alten Lederkoffer neben sich, dessen Ecken mit Metall beschlagen waren. Ihre Haare waren im Nacken zusammengebunden, sie trug ein weites dunkelrotes Kleid, das ihr bis zu den Knöcheln ging, und hatte schwarze Sandalen an den nackten Füßen. Ich wollte sie ansprechen, doch ich traute mich nicht. Um mir Mut zu machen, dachte ich an Oktay und mit welcher Leichtigkeit er immer Frauen angesprochen hatte. Gerade als ich mir einen Ruck geben wollte, trafen sich unsere Blicke, alles wurde weit und weich, für einen kurzen Moment verschwand der ganze Lärm. Ich wußte, wie es war, aus der Zeit herauszufallen, wir lächelten beide, es war ganz einfach, ich ging auf sie zu.

– Hallo, ich heiße Mesut. Darf ich mich einen Moment neben dich setzen?

Sie rückte ein Stück zur Seite, mir fiel auf, daß ihre Fußnägel lackiert waren, in demselben Rotton wie das Kleid.

– Ich heiße Oriana, sagte sie, in ihrer Stimme war ein leises Knirschen, als seien da ein paar Sandkörner in dem sonst seidigen Klang.

– Ich werde dein Leben verändern, hatte Oktay oft mit einer unglaublichen Selbstsicherheit gesagt. Manchen gefiel das. Ich sagte:

– Möchtest du mal mit mir einen Kaffee trinken gehen?

Oriana schüttelte leise lachend den Kopf, als könne sie es nicht glauben. Daß ich so einfallslos war? Ich sah mir ihre Eckzähne an. Ich hatte sie nie gefragt, aber manchmal hätte ich schon gerne gewußt, ob die Karten ihr gesagt hatten, daß sie mich treffen würde.

Wir tauschten Telefonnummern aus, und schon stand ich auf.

– Ich muß los, ich bin hier, um einen Freund abzuholen, den ich ein halbes Jahr nicht mehr gesehen habe. Ich will ihn nicht warten lassen.

Sie schüttelte erneut den Kopf, ich ging ein paar Schritte rückwärts, und wir lächelten wieder, dann drehte ich mich um und fragte mich, ob wir miteinander schlafen würden. Sie sah schön aus, diese Zähne, die geschwungenen Augenbrauen, die kräftigen Schlüsselbeine, der matte Zimtton ihrer Haut, die dunklen Augen.

Ich mußte mich noch vierundzwanzig Stunden gedulden, bis ich die Antwort wußte.

Als wir ankamen, war es stockdunkel, man konnte bereits das Meer riechen. Vor dem Bahnhof schaute ich Oriana an, wir ließen gleichzeitig unsere Taschen fallen, dann drehten wir uns einmal im Kreis. Das hatte ich mir vor einigen Jahren angewöhnt, nachdem ich gemerkt hatte, wie oft ich in einer fremden Umgebung naheliegende Möglichkeiten übersah – Pensionen, Hotels, Parkplätze, Cafés. Doch in dieser Dunkelheit konnte man kaum etwas erkennen. Ich stand unschlüssig da.

– Du hast vergessen, nach oben zu schauen, sagte Oriana.

Da war ein beeindruckender Sternenhimmel, ich stand mit in den Nacken gelegtem Kopf da, bis ich merkte, daß ich unwillkürlich leicht vor und zurück wippte.

– Dort können wir nicht bleiben, wir müssen uns ein Zimmer suchen.

Oriana hielt sich die Hand vor die Augen, streckte die andere Hand aus und drehte sich ein paarmal im Kreis. Als sie stehenblieb, sagte sie:

– Da lang.

Ihr Zeigefinger deutete auf den kleinen Bahnhof, aus dem wir gerade gekommen waren.

Wir entschieden uns für die entgegengesetzte Richtung. Zwei Minuten später bemerkte ich etwas auf der Straße, das wie ein Geldschein aussah. Vor uns gingen zwei Frauen, ich hielt die Luft an, als könne ich damit bewirken, daß sie den Schein nicht bemerkten. Sie liefen daran vorbei. Es war tatsächlich eine Banknote, ich hob sie auf, die größte, die es hier gab. Ich lachte.

– Oriana, hier liegt das Geld auf der Straße, das Glück lacht uns ins Gesicht. Die Stadt ist geschmückt mit allerlei Edelsteinen, Jaspis, Saphir, Smaragd, Chalzedon, sie bedarf keines Mondes und keiner Sonne, die ihr scheinen.

– Du bist ein Glückskind, weißt du das?

Ich nickte. Ja, es hatte zwar Zeiten gegeben, in denen ich

nicht daran geglaubt hatte, und seit dem Unfall und Oktays Verschwinden kamen mir auch immer öfter Zweifel, aber es konnte schon sein, es konnte sein, daß ich ein Glückskind war.

Ein Stück weiter sahen wir die ersten Schilder an den Häusern, die freie Zimmer anboten. Das erste war eine winzige Dachkammer, die sich den Tag über aufgeheizt hatte. Das zweite lag im zweiten Stock und hatte einen kleinen Balkon, der auf einen Garten sah. Mochte es eben etwas mehr kosten, ein Balkon war ein schöner Luxus. Man durfte mir kein Geld geben, ich stand darauf, das Zeug zu verschleudern.

Mir fiel dieses Bild ein, das ich mal in einem Magazin gesehen hatte, eine Frau, die sich mit den Ellenbogen auf die Brüstung eines Balkons stützt, im Hintergrund ein schönes Bergpanorama. Die Frau hat eine Bluse und ein Höschen an, das ihr bis zu den Kniekehlen runtergezogen ist. Ich hatte das Bild oft als Wichsvorlage benutzt und mir vorgestellt, wie ihr Mann sie posieren ließ. Eine Urlaubserinnerung.

Ein Balkon ließ einen im Ungewissen stehen, wie auf einem Sprungbrett, das war etwas anderes, als aus dem Fenster zu sehen. Man hatte noch ein wenig das Gefühl, von vier Wänden umgeben zu sein, war aber trotzdem draußen, entblößt in diesem Fall, entblößt, aber nicht den Blicken ausgeliefert.

Oriana ging raus auf den Balkon, stützte sich auf die Brüstung und sah die Sterne an. Ich knöpfte meine Hose auf, holte meinen Schwanz raus und stellte mich hinter sie. Wir sahen gemeinsam nach oben, ich spürte die leichte Wärme des Betons unter meinen nackten Füßen. Dann küßte ich Oriana in den Nacken, öffnete ihre Hose.

– Was wird das denn?

– Sex auf dem Balkon, flüsterte ich verunsichert.

Wir verharrten bewegungslos, Standbild. Schließlich reckte Oriana mir ihren Po entgegen, ich zog zögerlich den Slip und die Hose runter. Tat sie es nur mir zuliebe? Mit einem Finger teilte ich ihre Lippen und spürte das Elixier. Geschmeidig glitt ich hinein. Ich bewegte mich langsam, mit einer gewissen Trägheit und sah abwechselnd auf Orianas Hintern, zu den Sternen und in den Garten. Als es mir kam, war es nicht gewaltig, ekstatisch, überwältigend. Es sprudelte friedlich aus mir raus. Oriana kam es nicht, aber ich glaubte nicht, daß sie das unbefriedigt zurückließ. Es war ein gelöster Akt, als würde er in der Schwerelosigkeit stattfinden.

Wir mußten ein ganzes Stück gehen, um dem Lärm der Promenade zu entkommen, den Eis- und Zuckerwatteverkäufern, Porträtmalern, Tätowierern, Wahrsagern und Jongleuren. Doch schließlich saßen wir im Sand, das Wasser war ganz leise und glatt und fast schwarz. Wir legten uns nebeneinander auf den Rücken, starrten in den Himmel. Auf dem Balkon hatten wir uns eben etliche Mückenstiche geholt, doch das Teebaumöl linderte den Juckreiz und hielt weitere Mücken fern.

– Erzähl mir von diesen Menschen, die zu gut geraten waren.

– Die Götter hatten schon die Tiere und Pflanzen erschaffen, aber es stellte sich heraus, daß die Tiere nicht sprechen und nicht die Götter anbeten konnten. Also wurden sie zum Töten und Fressen bestimmt. Die Götter wollten Wesen erschaffen, die gehorsam und respektvoll waren, Wesen, die ihnen huldigten und Opfer brachten.

Sie formten einen Menschen aus Lehm, aber er war nicht gut, er konnte sich nicht bewegen und weichte im Wasser auf. Er konnte zwar sprechen, aber er war dumm. Die

49

Götter zerstörten ihr Werk und hielten Rat. Sie beschlossen, Menschen aus Holz zu schnitzen. Diese Menschen lebten einige Zeit auf der Erde, sie bekamen Söhne und Töchter, doch sie hatten weder Seele noch Intelligenz, weder Blut noch Mark. Ihr Gesicht war ohne Mienenspiel. Sie kannten ihre Schöpfer nicht und lebten wie die Tiere. Auch sie wurden vernichtet. Die Götter übten noch.

Nach langen Beratungen benutzten sie Mais, um das Fleisch des erleuchteten Menschen zu formen, und sie schufen vier Männer: Waldjaguar, Nachtjaguar, Nachtherr und Mondjaguar. Diese Männer hatten eine Seele, sie sahen, hörten, begriffen, sie gingen aufrecht. Sie sahen, was ihnen beliebte, sahen alles Verborgene und alle Geheimnisse. Die Schöpfer fragten sie, ob sie zufrieden wären. Ja, sagten die Männer, wir wissen und erfassen alles, die kleinen und die großen Dinge, ob nah, ob fern. Wir danken euch aufrichtig.

Die Götter berieten miteinander und beschlossen, ihre Geschöpfe einzuschränken, damit sie nicht auf die Idee kämen, mit ihnen zu wetteifern. Ein Schleier wurde den Menschen über die Augen gelegt. So wurden die Weisheit und das Wissen der vier Männer vernichtet. Die Götter gaben ihnen vier Frauen, Fallendes Wasser, Brunnenwasser, Kolibriwasser und Papageienwasser.

Die Menschen bewegten sich in der Dunkelheit, doch bald schon schenkten die Götter ihnen das Licht, und als die Morgenröte erschien, wurden die Menschen von großer Freude erfüllt.

Die Frauen heißen Wasser, weil sie Leben spenden, dachte ich, aber wieso heißen die Männer nicht alle Jaguar, was hat es wohl mit Nachtherr auf sich.

– Ich habe Martha gefragt, fuhr Oriana fort, ob die Frauen auch aus Mais sind, aber sie hat gesagt, die Frauen seien aus dem Sperma der Götter. Ich wußte nicht, was

Sperma heißt, lange Zeit habe ich das für einen seidig glänzenden Stoff gehalten.

– Menschen, die zu gut geraten waren, murmelte ich.

– Ich glaube nicht, daß es darum geht, sagte Oriana. Oder darum, daß die Götter Fehler gemacht haben. Diese Mythen sind schön, weil sie etwas zusammenführen. Die Menschen staunen, denn sie verstehen so vieles nicht, und dann erzählen sie sich Geschichten, die jeden von ihnen mit den Göttern verbindet. Geschichten, die ihnen sagen, daß es in Ordnung ist, nicht zu verstehen. Die Mythen sind nicht zur Unterhaltung gedacht, sie sollen dich nicht ablenken, sondern anbinden. Auch an die Menschen, die die gleichen Geschichten kennen.

Wir setzten uns auf und schauten auf das Wasser, ich war schon vier Jahre nicht mehr am Meer gewesen. Es war still, bis auf das leise Plätschern, der Mond war eine schmale Sichel mit einem Stich ins Kürbisfarbene. Einige Minuten sagten wir nichts.

Ich fragte mich, ob Oriana zu den Menschen gehörte, die sich nach einem verbindlichen Glauben sehnen und irgendwann über Tao stolpern, Sufismus oder eben Mythen. Menschen, die versuchen aus diesen Quellen eine Kraft zu schöpfen, die sie in sich selbst nicht spüren. Oder Menschen, die der Vorstellung anhängen, daß man in alten Zeiten eine engere Bindung an die Natur hatte und damit glücklicher war, besser und tiefer lebte. Um mitzukriegen, daß dem nicht so war, brauchte man bloß das Buch Kohelet zu lesen. Nein, entschied ich, Oriana war nicht so. Ihr Glaube entsprang nicht einer Sehnsucht.

Aber konnte es sein, daß sie versuchte, mich zu beeindrucken, weil sie merkte, wie sehr ich diese Geschichten mochte, Geschichten, die einen dazugehören ließen? Und was dachte sie jetzt, genoß sie die Stille und das Meer, oder stellte sie sich auch Fragen?

– Laß uns schwimmen gehen, schlug ich vor.

Oriana lächelte, als hätte sie nur darauf gewartet. Wir zogen uns aus, sie bestand darauf, unsere Kleider unter einem großen Stein zu verstecken, und dann gingen wir ins Wasser. Es war etwas zu kühl, aber es tat gut, nackt im offenen Meer zu schwimmen. Ich dachte nicht an Oktay, nicht an Oriana, nicht an Sex, nicht an meine Eltern, nicht an den Klang der Worte, nicht an die Freude, die Sorgen, Eitelkeit, Ärger, Glück. Ich verlor mich in der Dunkelheit.

4

Wir lagen am Strand, Oriana hatte einen hellblauen baumwollenen Badeanzug an, ich eine kurze beige Hose mit Innenslip. In Badehosen hatte ich mich schon als Kind nicht wohl gefühlt. Außerdem fand ich, daß Badehosen nicht besonders gut aussahen. Gelegentlich glaubte ich, die Bekleidungsfrage sei für Frauen einfacher zu lösen, auch wenn sie immer klagten, daß sie nichts zum Anziehen fanden. Sie konnten, wenn es heiß war, in einem Rock oder Kleid anziehend wirken oder auch in kurzen Hosen und Sandalen. Das war für einen Mann unmöglich. Es gibt für Männer nahezu keine Möglichkeiten, in kurzen Hosen und Sandalen gut auszusehen. Borell hatte schon gewußt, warum er im Hochsommer im Anzug rumlief.

Ich sah mir die Frauen am Strand an, die jungen, die alten, die, bei denen man sich fragte, wieviel Quadratmillimeter Stoff das eigentlich waren, mit denen sie ihren Körper nicht verhüllten. Das war bei meinem letzten Strandurlaub auch so gewesen, am ersten Tag konnte man die Augen nicht voll genug kriegen, aber man gewöhnte sich sehr bald daran und nahm später die Rundungen kaum noch wahr.

– Als Mann hat man es einfacher, sagte Oriana.

– Wieso?

– Die eine Frau hat einen schönen Busen, die andere einen schönen Hintern, die nächste eine samtige Haut, die man berühren möchte, die da hat einen süßen Bauch, die da drüben einen anmutig geschwungenen Nacken. Aber schau dir mal die Männer an. Die meisten haben einen Schmerbauch oder Nierenfett, und die anderen sind fast alles Heringe. Ich könnte kaum mit einem Mann zusammensein, der weniger wiegt als ich.

– Was ist mit dem da drüben? fragte ich und deutete mit dem Kopf in seine Richtung.

Er war mir aufgefallen, weil er so gut aussah. Mittelgroß, blond, sportliche Figur. Man konnte die Muskeln unter der Haut erkennen, die Schultern waren kräftig und rund und endeten am Oberarm in einem ausgeprägten Dreieck, die Brustwarzen waren groß und dunkel und unbehaart.

– Ja, sagte Oriana, es gibt viele Siebzehnjährige, die so aussehen, aber das sind Jungen. Warten wir ab, wie er in zehn Jahren aussieht.

– Eine Frau sieht also fast immer schön aus, irgendwie, irgendwo, aber Männer müssen Sport treiben oder körperlich arbeiten, ja?

– Genau.

Ich hätte es gerne sexistisch gefunden, aber es schien nah an der Wahrheit zu sein. Während ich die Männerkörper aus der Werbung immer anziehend fand, hatten mich die durchtrainierten, dünnen Frauen mit flachen Bäuchen nie interessiert. Einige Sekunden hatte ich ein Fragezeichen im Kopf, dann traute ich mich zu fragen:

– Wie findest du mich eigentlich?

Oriana drehte sich vom Rücken auf die Seite und sah mich an. Sie schüttelte den Kopf und lächelte. Sie schien zu überlegen, ob sie mir antworten sollte oder nicht, dann sagte sie nur ein Wort:

– Attraktiv.

Ich war schlank und nicht wirklich breitschultrig, aber auch nicht schmal. Mit siebzehn hatte ich mit Yoga angefangen, das betrieb ich immer noch halbwegs regelmäßig, aber sonst hatte ich nie viel Sport gemacht. Yoga hatte ich unter anderem deswegen angefangen, weil ich mir mehr Sensibilität für meinen Körper davon versprach, mehr Sensibilität und somit anmutigere Bewegungen. Mittlerweile hatte ich mich damit abgefunden, daß es mir nie möglich sein würde, mich so elegant und geschmeidig zu bewegen wie Borell. Ich hatte mich nie wirklich schön gefunden.

Oriana legte ihren Kopf auf meinen Bauch, die Sonne trocknete unsere Gehirne aus.

– Wie ging es bei dir weiter?

– Was?

– Mit dem Sex.

– Viola hat mich aufgeklärt, sie hat gesagt, daß der Penis groß wird und man ihn dann in die Muschi stecken kann und so Kinder enstehen. Zuerst wollte ich das nicht glauben, doch dann war ich besessen von dem Gedanken, mal einen Großen zu sehen. Ich habe versucht mir vorzustellen, wie das aussieht. In meiner Phantasie war er sehr lang und spitz, aber nicht hoch aufgerichtet.

Als ich elf oder zwölf war, habe ich einen Film im Fernsehen gesehen. Die Frau schrubbte auf den Knien den Küchenboden. Ihr Mann kam herein und sah ein Stück nacktes Bein, weil ihr Rock hochgerutscht war. Er sagte einfach nur: Komm, ich hab Lust. Und sie schlug etwas widerwillig den Rock hoch, und er zerrte an ihrem Höschen, mehr wurde nicht gezeigt, man sah nur noch ihren Oberkörper, dann hörte man den Reißverschluß und konnte erkennen, wie sie die Stöße empfing. Als der Mann fertig war, schrubbte sie weiter den Boden. Ich war entsetzt darüber, daß mich das erregte. Ich habe vergeblich versucht, Elena dazu zu überreden, diese Szene mit mir nachzuspielen.

– Hast du dich selbst befriedigt?

– Damals noch nicht, glaube ich. Ich habe an mir gespielt und mich berührt, aber ich weiß nicht, wann das mit der Selbstbefriedigung anfing.

– Was? Du kannst dich nicht an deinen ersten Orgasmus erinnern?

Ihr Kopf wackelt auf meinem Bauch hin und her.

– Du?

– Sehr genau sogar. Mich hat nie jemand aufgeklärt. Ich wollte nackte Frauen sehen, aber ich habe mich nicht getraut, mir Zeitschriften zu kaufen. Eine der besten Möglichkeiten waren die Wäscheseiten der Versandhauskataloge meiner Mutter. Und auf der Seite mit den Solarien war meistens eine nackte Frau, manchmal gab es auch noch eine Seite mit Hygieneartikeln. Wenn ich mir das ansah, wurde mein Schwanz hart, aber ich hatte keine Ahnung, wie sich denn dieses Abspritzen anfühlte, von dem die anderen Jungs redeten. Es bereitete mir einfach Vergnügen, mir diese Frauen in Reizwäsche anzusehen, aber ich kannte keinen passenden Abschluß dafür. Eines Abends, ich war dreizehn, lag ich in meinem Bett und spielte Wichsen, ahmte die Bewegungen nach, von denen ich glaubte, sie seien die richtigen. Das hatte ich schon öfter gemacht, ohne daß ich dahintergestiegen war, was so toll daran sein sollte. An diesem Abend konnte ich nicht aufhören, wie ich das sonst tat, ich machte immer weiter, meine Empfindungen veränderten sich, und dann überraschte mich dieses fremde, wohlige Gefühl. Ich wußte gar nicht, was passiert war, ich konnte es nicht verstehen. Ich glaube, ich habe es erst am nächsten Abend richtig genossen, beim ersten Mal war ich nur verwirrt.

– Und von da an hast du es jeden Tag gemacht.

– Hmmm.

– Jungen sind so einfach.

– Wie oft hast du es getan?

– Mal öfter, dann wieder lange Zeit gar nicht. Das wechselte. Ich habe oft versucht mir auszumalen, wie das wäre, Sex zu haben, aber es ging nicht um die Erregung oder den

Höhepunkt. Ich lag auf meinem Bett und habe über Kopfhörer Doors gehört, so habe ich mir Sex vorgestellt.

– Doors hören war wie Sex?

– Ja, ich fühlte mich aufgehoben in der Musik, die Töne hatten viel Platz und erregten mich, es hatte etwas Tranceartiges, ich konnte woanders sein.

– The end?

– The end, When the music's over, Waiting for the sun, alles.

– Fandest du Jim Morrison sexy?

– Er war nur eine Stimme in meinem Kopfhörer, die ich liebte. Kein Star, den ich angehimmelt habe.

– Aber schon eine faszinierende Person.

– Ich weiß fast nichts über ihn, er hat nur oft so eine Sehnsucht und Trauer in der Stimme, als wüßte er genau, wo das Paradies ist, käme aber nicht dorthin.

– Hast du den Film gesehen?

Wieder wackelte der Kopf auf meinem Bauch hin und her. Ich war erstaunt, ich wollte immer alles wissen über Menschen, deren Werk mich begeisterte. Klatsch und Tratsch vielleicht, unnötiges, kaum interessantes Beiwerk, aber ich wollte es in Erfahrung bringen, als würde es mir helfen, ihre Kunst besser zu verstehen.

Ich versuchte mich zu erinnern, ob es für mich auch etwas Sexuelles gehabt hatte, als ich eine Zeitlang regelmäßig mit Cannabisschwere dagelegen und Doors gehört hatte. Selbst wenn es so gewesen war, hatte ich es vergessen. Aber ich glaubte trotzdem zu wissen, was sie meinte.

– Es war einmal ein König, fing ich an, der wollte alles über die Menschen wissen, er wollte alles erfahren, was ein Mensch erleben kann. Jeder Fremde, der in seinem Reich auftauchte, wurde von ihm beherbergt und bewirtet. Der König ließ sich als Gegenleistung von ihren Leben, ihren Abenteuern, Sehnsüchten und Schicksalsschlägen erzählen.

Eines Tages erschien ein schwarzgewandeter Mann, der ebenso schön wie traurig aussah. Er wollte dem König nichts über sich verraten. Selbst der Wein, der ihm kredenzt wurde, löste seine Zunge nicht, und die Bauchtänzerinnen, die der König zum Vergnügen seines Gastes auftreten ließ, konnten seine traurige Miene nicht erhellen oder auch nur seine Augen kurz aufleuchten lassen. Als der König den schwarzgewandeten Mann nun immer weiter und immer heftiger bedrängte, nannte ihm der Fremde eine Stadt in China als Schlüssel zu seinem Geheimnis und verschwand.

Der König wollte nun unbedingt in diese Stadt, und es gelang ihm tatsächlich, auszumachen, wo sie lag. Er reiste dorthin und sah, daß die schönen Bewohner dieses Ortes alle schwarz gekleidet waren und niemals lachten. Es fand sich keiner, der ihm Auskunft über ihr Schicksal geben mochte. Doch nach einiger Zeit gewann der König einen Freund, einen Metzger, der ihn davor warnte, das Geheimnis der traurigen Bewohner ergründen zu wollen. Der König bedrängte den Mann wieder und wieder, er versprach ihm Geld und allerlei Kostbarkeiten, aber der Metzger war nicht an irdischen Gütern interessiert. Nach vielen Wochen des Fragens und Bittens und Bettelns gab er schließlich nach und offenbarte dem König das Geheimnis der traurigen Bewohner dieser Stadt.

Er führte den Wissensdurstigen eines Abends zu einem Turm vor den Mauern der Stadt und hieß ihn hoch auf die Plattform steigen. Sobald der König oben war, kam ein Riesenvogel und trug ihn weit fort in eine Gegend von paradiesischer Schönheit, in das Reich einer Feenkönigin. Er durfte neben dieser bezaubernden Frau auf dem Thron sitzen, sie küssen und kosen, vom Zauberwein trinken und Feenmusik hören. Nur die letzte Erfüllung blieb ihm verwehrt.

Von diesem Tag an bestieg der König jeden Abend den

Turm und ließ sich von dem Riesenvogel ins Reich der Feenkönigin tragen. Tagsüber schlief er, er hatte die Menschenwelt längst vergessen, sein Reich, seine Geschäfte, seine Pflichten, die Sonne und normale Nahrung waren ihm einerlei. Er lebte in den Nächten bei seiner Feengeliebten, küßte und koste sie, durfte Wein von ihren Brüsten trinken, doch so sehr er bettelte und drängte, so sehr er versuchte, sie zu verführen, das blieben die einzigen Genüsse, die ihm die Feenkönigin gewährte.

In der dreißigsten Nacht flehte er sie an, auch den letzten Schleier fallen zu lassen und sich ihm hinzugeben. Wahnsinn überkam den König, er bestürmte die Geliebte, sich seinem Willen zu fügen oder ihn zu töten. Die Feenkönigin beschwor ihn, nur noch eine Nacht zu warten. Was ist schon eine Nacht, wenn es um die Seligkeit geht? fragte sie ihn, noch eine Nacht und du wirst die höchste Erfüllung erfahren. Doch der Menschenkönig hörte nicht auf ihre Worte, er war vor lauter Leidenschaft entschlossen, sie mit Gewalt zu nehmen. Als sie das merkte, willigte sie schließlich ein und bat ihn, nur für einen kurzen Moment die Augen zu schließen. Als der König in Erwartung des vollkommenen Glücks die Lider senkte, ergriff ihn der Riesenvogel und trug ihn zum Turm zurück.

Am nächsten Abend wartete der König vergeblich auf der Plattform. Auch in den folgenden Nächten kam der Riesenvogel nicht mehr, um ihn mitzunehmen. Der schwarzgewandete Metzgermeister sah den König an und sagte: Kennst du jetzt unser Geheimnis? Verstehst du nun unsere Trauer?

– The Lizard King, der Eidechsenkönig, Jim Morrison, er versteht die Trauer und weiß um die Erfüllung, sagte Oriana, das ist eine schöne Geschichte. Ja. Man muß vorsichtig sein. Es ist wie auf dieser Jenny-Holzer-Karte.

– Jenny Holzer? fragte ich.

– Du weißt doch, was ich meine, oder?

– Nein.

– Jenny Holzer.

– Nie gehört.

– Die Postkarte, die bei dir an der Wand hängt.

Ich versuchte zu erraten, welche sie meinte.

– Protect me from what I want.

– Ach so, sagte ich, das ist von Jenny Holzer?

– Ja, sagte Oriana, wußtest du das nicht?

– Nein, für mich ist das nur eine Postkarte, die an meiner Wand hängt. Wer ist Jenny Holzer?

– Eine amerikanische Künstlerin, sie macht Lichtinstallationen und so.

– Aha, sagte ich.

Ich dachte, die Stimmung sei dahin, doch Oriana lachte einfach nur und meinte:

– Ist ja auch nicht wichtig.

– Willst du noch eine Geschichte hören, eine ganz andere? fragte ich, nachdem wir eine Viertelstunde schweigend dagelegen hatten.

Ich hatte es noch nie jemandem erzählt.

– Als ich klein war, bin ich oft auf den Füßen meiner Tante geritten. Dieselbe Tante, die ich im Unterhemd gesehen hatte, Ebrus und Oktays Mutter, Tante Özlem. Ich setzte mich nicht auf ihre Knie oder Beine, ich setzte mich auf ihre Füße und wippte. Das war unser Spiel, jedes Jahr im Urlaub setzte ich mich auf ihre nackten Füße und wippte. Ich wurde älter, eigentlich zu alt für solche Spielchen, aber es war unser Ritual. Als ich in dem Sommer nach meinem ersten Samenerguß einen Ständer bekam, versuchte ich mich möglichst unauffällig an ihr zu reiben und wippte weiter. Sie muß es gemerkt haben, sie bewegte rhythmisch ihre Füße und gab mir leichte Tritte. Dann zog sie langsam einen Fuß unter mir weg nach oben, so daß ihr Spann an meinem Schwanz entlangglitt. Mir kam es in die Hose. Ich wußte nicht, ob sie es gemerkt hatte. In dem Sommer konnte ich sie noch ein paarmal dazu überreden, mich auf ihren Füßen reiten zu lassen, und jedesmal kam es mir dabei. Im nächsten Jahr meinte sie, ich sei nun zu alt dafür.

Ich mußte mich auf den Bauch drehen, Oriana drehte sich auch um, wir hatten beide den Kopf in die Armbeuge gebettet und sahen uns in die Augen. Ich spürte ein Zucken im Bauch, Energie, die sich entladen wollte, und bekam trotz der Hitze eine Gänsehaut.

– Mach die Augen zu, sagte sie, ich erzähl dir auch etwas. Es wird dir gefallen. Es ist die Geschichte von einem kleinen Mädchen, das mit seinen Eltern am Meer ist. Sie ist alt genug, um alleine Strandspaziergänge machen zu dürfen. Es gefällt ihr, in den Dünen rumzulaufen und Muscheln und schöne Steine zu suchen. Es ist etwas kühl an diesem Tag, sie trägt lange Hosen und eine Jacke. Sie ist ganz in ihre Suche versunken, als plötzlich ein Mann mit einem steifen Glied vor ihr auftaucht. Er hat es aus dem Hosenschlitz rausgeholt und präsentiert es ihr stolz. Sie weiß nicht, was sie tun soll. Er steht nur wenige Meter von ihr entfernt. Sie will nicht weglaufen, aber sie hat Angst. Nicht vor dem Glied, obwohl sie noch nie so ein großes gesehen hat, sondern vor dem Mann, weil sie nicht weiß, ob er gefährlich ist. Sie behält ihre Richtung bei und geht schneller, sie will an dem Mann vorbei, der sie angrinst. Sie legt noch einen Schritt zu, ja sie rennt fast und versucht dennoch, aus den Augenwinkeln soviel wie möglich zu sehen. Ihr Herz schlägt sehr schnell, sie dreht sich sehr lange nicht um. Als sie es doch tut, ist der Mann verschwunden. Abends denkt sie an den Mann und stellt sich vor, wie sie ihm bei der Selbstbefriedigung zuschauen darf und vielleicht sogar mal sein Glied anfassen. Sie denkt noch oft an ihn und versucht sich sein Gesicht vorzustellen, wenn er einen Höhepunkt hat. Manchmal malt sie sich aus, wie sein Samen in den Sand fällt.

Ich lag mit geschlossenen Augen da, sagte nichts, hörte das Brodeln der Stimmen und das Rauschen der Wellen. Dann spürte ich Orianas Hand an meinem Nacken, sie kraulte meine verschwitzten Haare.

– Laß uns schwimmen gehen, schlug ich vor, als ich mich wieder auf den Rücken drehen konnte.

Wir schwammen ein ganzes Stück raus und betrachteten von weitem das Gewusel am Strand. Oriana ließ sich auf dem Rücken treiben, sie wollte nicht noch weiter, es macht doch keinen Unterschied, sagte sie, wir sind hier schon ungestört.

Ich schwamm alleine in Richtung Horizont. Es war eine Möglichkeit, von allem wegzukommen, das einen mit der Welt verband. Da draußen im Wasser existierten keine Sorgen, keine Probleme, kein Geld, keine Unterhaltung, keine Wirrnisse, keine Bedrängnis.

Für den, dessen einziges Ziel der Ozean ist, gibt es niemanden, um dessentwillen er zurückschaut oder besorgt ist. Aber wenn deine Aufmerksamkeit auf den Strand gerichtet bleibt, kannst du nicht weit kommen und wirst nach dem Baden zurückkehren, ohne erfüllt worden zu sein.

Ich drehte mich um, das Bild verschwamm, ich war weit weg, ich konnte nichts mehr erkennen.

Mesut fühlt sich geborgen im Schoß des Meeres. Alles Leben kommt aus dem Meer, Aphrodite wurde aus dem weißen Schaum der Wellen geboren, Tochter des Himmels, Göttin der Schönheit, Fruchtbarkeit und des Verlangens. Göttin, die das Lachen liebt, für immer verbunden mit dem Rhythmus der Wellen. Alles Leben drängt zum Wasser.

Oriana hatte auf mich gewartet, sie lag immer noch auf dem Rücken und paddelte leicht mit den Beinen. Ich war außer Atem.

– Muß man sich Sorgen um dich machen, oder bist du ein guter Schwimmer?

– Ich komme zurück.

In jenem Sommer, in dem es mir auf den Füßen meiner Tante reitend in die Hose gekommen war, hatten wir auch drei Wochen am Meer verbracht. Meine Eltern, Oktay, Ebru, meine Tante, mein Onkel und ich. Wir hatten zusammen eine kleine Ferienwohnung gemietet, und ich war nie allein. So mußte ich mich unter der Dusche oder bei der Morgentoilette befriedigen, aber dauernd klopfte jemand an die Tür, weil es so lange dauerte. Schließlich hatte ich eine bessere Idee. Ich schwamm raus, und wenn ich weit genug weg war, zog ich meinen Schwanz aus der Hose und masturbierte unter Wasser. Das war anstrengend, weil ich den Grund nicht berühren konnte, aber es war sehr schön. Außerdem gab es keine Probleme mit Taschentüchern oder wegen übersehener Flecken auf den weißen Fliesen. In jenem Sommer wurde ich ein passabler Schwimmer, legte ein wenig an Muskeln zu und verbesserte meine Kondition.

– Soll ich uns was zu essen holen? fragte Oriana, nachdem die Sonne uns wieder vollständig getrocknet hatte. Es mochte früher Nachmittag sein, das Frühstück lag weit zurück. Sie wartete meine Antwort gar nicht erst ab, nahm das Geld aus der Tasche und ging los. Ich sah zu, wie ihre Backen beim Gehen leicht erzitterten.

Vielleicht zehn Minuten später fragte ich mich, wo sie wohl hingegangen war und was sie mitbringen würde, Fritten, Maiskolben, Frikadellen, Muscheln oder frittierten Fisch. Ich blickte in Richtung der Buden, doch auf die Entfernung konnte ich nichts erkennen. Nach weiteren zehn

Minuten wurde ich nervös. Ach, was soll ihr schon zustoßen, beruhigte ich mich, keine Autos, keine Straße, die man überqueren müßte, entführt worden ist sie auch nicht, was soll ihr zugestoßen sein am hellichten Tag an einem Strand, wo so viele Menschen liegen.

Aber ich machte mir Sorgen. Als ich nach weiteren langen Minuten entdeckte, daß ihre Badelatschen noch da waren, und nun wußte, daß sie barfuß losgegangen war, da ahnte ich schon, was passiert war. Der Teufel ist ja nicht untätig und außerdem einfallsreich.

Sie war in eine Glasscherbe getreten, die ihr eine klaffende Wunde beigebracht hatte. Ja, und jemand, der mit dem Auto hier war, hatte sie gleich ins Krankenhaus gefahren, während ich hier saß und mich mit meinem leeren Magen beschäftigte.

Oder jemand mit einem Auto hatte ihre Hilfsbedürftigkeit ausgenutzt, ihr eine Fahrt zum Arzt angeboten, sie zu seinem Wagen getragen, und als er sie so anfaßte, war ihm die Idee gekommen ... Nein, nein, so schlecht war die Welt nicht. Oder etwa doch?

Ich stand auf und sah noch mal in Richtung der Buden, dann ging ich los, doch nach vier Schritten blieb ich stehen, kehrte um, zog meine Leinenschuhe an und rannte.

Oriana war nirgends zu sehen. Was sollte ich jetzt tun? Wo war sie und warum hatte ich ihr nicht Gesellschaft geleistet? Entspann dich, Mesut, atme ganz langsam aus, so langsam, wie es nur geht, atme wieder ein, ganz ruhig in den Bauch hinein. Mach dich nicht bekloppt, sei realistisch, es gibt eine einfache Erklärung hierfür, es ist ihr nichts passiert, es wird gut ausgehen, es wird gut ausgehen, auch wenn dir deine Gedanken gerade einen Strick drehen und du Angst hast.

Ich spürte, wie sich zwei harte Gegenstände auf der Höhe meiner Nieren in meinen Rücken bohrten, und zuckte erschrocken zusammen. Ich drehte mich um, Oriana lachte. Es dauerte ein wenig, bis ich begriff, daß sie mich mit diesen Holzstöcken gepiekt hatte, von denen sie in jeder Hand einen hielt und auf denen eine Art Stockbrot mit Puderzucker steckte. Ich hatte schon einige Leute am Strand damit gesehen.

– Was bist du denn so schreckhaft? Du hast ja fast keine Farbe mehr im Gesicht. Was ist los?

– Ich habe mir Sorgen gemacht, du warst so lange weg.

Ihr Lächeln erstarb, sie zog die Augenbrauen zusammen und musterte mich kritisch.

– Da sind riesige Schlangen. Es hat leider etwas gedauert, sagte sie leicht genervt.

– Schlangen halten die Welt zusammen.

Ich küßte sie auf die Wange, ich hatte sie nicht kontrollieren wollen, auch wenn sie das jetzt vielleicht glaubte. Gemeinsam gingen wir zurück.

Das Stockbrot schmeckte süß, aber verklebte einem nicht den Mund und roch angenehm nach offenem Feuer. Die Stöcke steckten wir in den Sand, dann legten wir uns wieder hin, und mir fiel ein, was Frauen sich wahrscheinlich eher merkten als ihren ersten Orgasmus. Eigentlich dasselbe wie Männer, den Punkt, ab dem man fähig scheint, ein Kind zu kriegen.

– Du weißt noch genau, wie du das erste Mal deine Tage bekommen hast, nicht wahr?

– Ja. Im allerersten Moment, als ich es in meiner Hose sah, war ich geschockt. Ich wußte zwar, was das war, ich hatte es auch erwartet, aber auf einmal war es soweit. Weißt du, wenn du jemanden eingeladen hast und du auf ihn wartest und es klingelt dann an der Tür, zuckst du erschrocken zusammen, eben weil du so darauf gewartet hast.

Aber gleich darauf war ich stolz, ich bin zu Viola gerannt und habe mir Binden von ihr geliehen. Ich glaube, sie war ein bißchen neidisch, weil sie ihre Regel erst vor ein paar Monaten bekommen hatte. Sie hatte dem richtig entgegengefiebert, und nun kam ich mit meinen dreizehn Jahren und strahlte sie an. Aber sie war echt toll, sie hat mir noch am gleichen Tag einen Kuchen gebacken, und den haben nur wir zwei gegessen, im Wald. Wir lagen da und haben darüber geredet, wie viele Kinder wir mal haben wollen und wie wir uns unseren Mann vorstellen.

Oriana hatte mir vor ein paar Tagen schon erzählt, daß Viola mit einem Synchronsprecher verheiratet war und drei Kinder hatte.

– Und nun bist du ein wenig neidisch auf sie? fragte ich.

– Nein, sagte Oriana, ich war ja schon verlobt.

– Habt ihr auch an Kinder gedacht, Mario und du?

– Er hat immer gesagt, er fühle sich noch nicht reif genug.

Dann setzte sie noch mal an, um etwas zu sagen, doch noch ehe ein Ton rauskam, verstummte sie. Sie war immerhin 28, wenn sie Kinder wollte, blieb ihr nicht mehr so wahnsinnig viel Zeit. Auf mich machte sie nicht den Eindruck, als habe sie ein Problem damit.

Ich dachte an Violas Mann, den Synchronsprecher, und die Geschichte, wie seine frühere Geliebte 58mal in diesen Kinofilm gegangen war, nur um in einer Szene die Augen zu schließen und sich seiner Stimme zu überlassen: Ich liebe dich, baby, ich werde dich immer lieben, du bist die Frau meines Lebens. Sie wollte den Satz wieder und wieder aus seinem Mund hören und sich vorstellen, sie sei gemeint.

Oriana hatte sich auf den Bauch gelegt und die Augen geschlossen, sie sah entspannt aus, keine Wolken über ihrem Gesicht. Wie viele Kinder hatte sie sich wohl damals gewünscht? Und was für einen Mann? Bestimmt jemanden, der ihr das Gefühl von Sicherheit vermittelte, jemanden, der genau wußte, wo er im Leben lang wollte, und sich nicht immer überlegen mußte, woher das nächste Geld kam.

– Ich heiße Oriana, das war der erste Satz gewesen, den ich aus ihrem Mund gehört hatte. Ihre Stimme hatte mir gefallen, sie paßte zu ihrem Namen, ein wenig dunkel, aber weich. Sie hatte etwas Kehliges, und ganz unten gab es ein leichtes Kratzen, es war wie dunkelblaue Seide mit ein paar Sandkörnern darauf. Wenn Oriana erregt war, veränderte ihre Stimme sich, sie wurde etwas heller, und irgendwann verschwand das Knarzige ganz, und bevor es ihr kam, hörte sie sich ein wenig nasal an. Dann öffnete mir ihre Stimme eine Tür zu einer ganzen Welt, dann wurde sie so umfassend, daß ich sie nicht mehr beschreiben konnte. Es war eine weite Landschaft mit Hügeln und Tälern, in der man spazierengehen konnte. Es gab keine Häuser oder dergleichen, nur etwas Nebel, und manchmal huschte auch eine Elfe vorbei, aber Menschen gab es keine.

An Orianas Atem hörte ich, daß sie eingeschlafen war, den Kopf auf ihrem Unterarm. Ich beugte mich über sie und sah mir die Falten an ihrem Augenwinkel an, vier Linien, zwei, die nach oben gingen, zwei, die nach unten zeigten, und in der Mitte seltsamerweise keine. Die Falten an ihrem anderen Auge waren genauso, ich hatte sie oft bewundert.

Mit einundzwanzig hatte ich eine Frau kennengelernt, die drei, vier Jahre älter war als ich. Ich hatte damals frohlockt, endlich in ein Alter zu kommen, in dem man Frauen kennenlernte, die Falten um die Augen hatten, es gab nichts, das schöne Augen noch schöner machte. Die Frau und ich hatten einige Male zusammen Kaffee getrunken, ich hatte verstohlen ihre Augen bewundert, mehr hatte ich nicht gewollt.

Als wir am frühen Abend wieder in unserem Zimmer waren und unsere Badesachen ausgezogen hatten, nahm ich Oriana in den Arm und preßte sie an mich, wir klebten aneinander, und nach kurzer Zeit warf ich sie auf das Bett und spürte das Feuchte, schmeckte das Salz. Sehr bald hörte ich auf, mich zu bewegen, wir sahen uns nur an. Ich konnte es nicht fassen, es war so ein gutes Gefühl, sie zu begehren und zu bekommen. Ich wollte keinen Quickie, keinen Fick, keinen Höhepunkt, weder für sie noch für mich. Ich wollte sie begehren, ich wollte dieses Verlangen genießen. Als sie lächelte, fuhr ich mit meinem Zeigefinger über ihre Zähne. Vier ganz glatte und dann die sanfte Rundung ihres Eckzahns. Sie legte mir einen Finger in die Mulde zwischen meinen Schlüsselbeinen.

– Laß uns sehen, wo wir was zu essen kriegen, sagte ich.

– Ja, aber zuerst mußt du mich freigeben.

Ich richtete mich auf und ging mit meinem Ständer unter die Dusche, Oriana kam nach. Wir seiften uns gegenseitig ein, ließen die Hände über unsere Körper gleiten, das Wasser prasselte auf uns herab, und ich fragte mich, warum wir nicht viel mehr Zeit in engen Duschkabinen verbrachten.

Unsere Finger waren schon ganz verschrumpelt, als wir den Hahn zudrehten. Ich klappte den Klodeckel runter und setzte mich drauf. Während ich langsam trocknete, sah ich zu, wie Oriana sich fertig machte.

– Weißt du was, sagte sie, ich mag es, wenn du da sitzt und mir zuguckst. Ein bißchen schäme ich mich auch, aber es gefällt mir. Du bist ein guter Zuschauer.

Als ich schließlich die Zimmertür hinter uns abschloß, fragte sie mich, wie ich das nun anstellen wolle, Oktay zu finden.

– Das wird schon klappen, das Glück ist auf unserer Seite.

Vielleicht war es das doch nicht, denn ich fragte in bestimmt zwanzig Restaurants nach einem Koch oder Kellner, der Oktay hieß, ein großer Mann mit Hakennase und Narbe, ein Clown, der die Sprache schlecht beherrschte und ein guter Pantomime war. Niemand schien ihn zu kennen, wir ernteten nur ratlose Blicke von jugendlichen Kellnern, Schulterzucken oder Einladungen, den besten Fisch am Ort zu essen.

Das wunderte mich, so groß schien mir die Stadt nicht zu sein, und Oktay war jemand, den man nicht vergaß. Ich hatte nicht erwartet, gleich einen Volltreffer zu landen, aber ich hatte gehofft, daß jemand sich entsinnen würde, ihn schon mal irgendwo gesehen zu haben.

Eine Zeitlang hatte Oktay im Hafen von Antalya in einer Saftbar gearbeitet. Nach einigen Tagen sprach es sich herum, daß dort so ein verrückter Kerl war, der viel redete und Witze machte, und die Leute kamen, setzten sich mit einem Orangen- oder Grapefruitsaft hin, um Oktay bei der Arbeit zuzusehen, die unter anderem darin bestand, die vorbeispazierenden Urlauber anzusprechen und zu gesunden Getränken zu animieren. Heute unsere Supersommersonderaktion, wer zehn Gläser trinkt, bekommt ein halbes umsonst. Und wenn ein Witzbold fragte, wieso denn nur ein halbes, sagte Oktay: Denk doch an den armen Mann hinter der Theke, der ist ganz erschöpft, wenn er zehn Gläser Saft gepreßt hat, da schafft er kein elftes mehr.

Er erzählte hemmungslos von einer Weltreise, die man hier gewinnen konnte, sprach mit Vorliebe junge Frauen an und pries die Qualitäten der Getränke, gut für die Verdauung und die Figur, hilft gegen Falten und freie Radikale und ist als Aphrodisiakum kaum zu schlagen.

Bei jemand anderem hätte man vielleicht gedacht, er mache sich zum Affen vor all den Leuten. Aber Oktay sah man den ehrlichen Spaß an. Als er nach Dreiviertel der

Saison keine Lust mehr hatte, verdoppelte er seine Gehaltsforderungen. Schließlich belebte er das Geschäft, die Umsätze waren gestiegen. Sein Chef ging nicht darauf ein. Oktay war im ganzen Hafen und auch darüber hinaus bekannt, viele hätten ihn liebend gerne eingestellt, aber nicht für die Phantasiesummen, die er lässig zwischen zwei Zügen an seiner Zigarette nannte.

Und so jemanden kannte hier niemand? Ich hatte keine Lust mehr, noch länger herumzufragen. Wir hatten Hunger, wir wollten essen. Auf unserer Suche hatten wir ein kleines Restaurant in einem Hinterhof entdeckt, sogar der riesige Gasherd, die Kühlschränke und Weinregale befanden sich im Freien, was dem Ganzen den Anschein eines feudalen Picknicks gab. Der Mann am Grill, den man in anderen Lokalen wahrscheinlich aus gutem Grund nicht sah, tat mir leid. Das war harte Arbeit, in der Gluthitze auch noch am Feuer zu stehen, während die Gäste so wenig wie möglich anhatten, denn der Abend hatte kaum Abkühlung gebracht. Wir bezahlten diesen Mann dafür, daß es uns gutging, aber wer weiß, vielleicht dankte er dem Herrn dafür, daß er eine Arbeit hatte.

Nach dem Essen spazierten wir langsam zurück zu unserer Pension. Oriana hatte Hühnchenspieße in einer roten Sauce gehabt, die weder nach Tomaten noch nach Paprika aussah. Es war ein knalliges Rot gewesen, wie ein Feuerwehrwagen mit einem Schuß Violett, es hatte süß und sauer und scharf geschmeckt. Wenn Oriana unter einer Straßenlaterne lächelte, sah ich Reste dieser Sauce an ihren Zähnen kleben und stellte mir vor, es seien Rubine. Dieses rubinbesetzte Lächeln, der Wein, mein Wunsch, es möge den Beruf des naqqâl noch geben, die warme Luft, die Kraft am Ende meiner Wirbelsäule, der ganze Tag, die Geschichten, die wir kannten, um uns die Nächte zu versüßen, schon wieder fing ich mit einer an:

– Es war einmal ein kleines Mädchen, Melika, das von seinen Eltern an einen Sultan verkauft wurde, weil sie so arm waren. Der Sultan war hingerissen von Melikas Schönheit und ließ sie von seinen Frauen in der Kunst der Massage, des Singens und des Bauchtanzes unterrichten. Sie hatte Haare wie Ebenholz, seduktiöse Lippen, rot wie Feuerwehrwagenhühnchenspießsauce, mandelförmige Augen von einem sehnsuchtsvollen Bambibraun, und als sie vierzehn Lenze zählte, deflorierte der Sultan sie und nahm sie offiziell in seinen Harem auf.

In den folgenden Jahren wurde die sympathetische junge Frau noch schöner, und jedem, der sie sah, stockte der Atem. Der Sultan ernannte sie zu seiner Hauptfrau und vernachlässigte seine Staatsgeschäfte, weil er nicht genug von Melika bekommen konnte. Doch da er nicht mehr der Jüngste war, begannen seine Lenden zu erlahmen. Gleichzeitig war er so trunken von Melikas Anmut, daß ihn der Wunsch überkam, mit ihr zu protzen, statt eifersüchtig über sie zu wachen. So erließ er ein Gesetz, daß alle jungen Männer, wenn sie sechzehn Jahre alt wurden, Melika beim Bauchtanz zusehen durften. Zweimal im Jahr, im Frühling und im Herbst, gab es ein großes Fest, die Jünglinge pilgerten zum Palast, vor dem die Kaufleute Krabben, Muschelfleisch, Honig, Hanf, Granatäpfel, Ginseng, Damiana, Ingwer, Koriander, kandierte Muskatnüsse und Vanilleschoten feilboten, auf daß, wer davon aß, seine Liebeskraft stärke.

Hunderte junger Männer wurden in den großen Saal geführt, wo Melika in der Mitte auf einer Bühne tanzte. Sie trug ein purpurnes Kostüm, das mit Rubinen besetzt war. Die Jünglinge legten Hand an sich, während sie die Hüften kreisen und vorschnellen ließ, ihre Brüste wackelten und ihr Bauch erzitterte. Nachdem diejenigen in der ersten Reihe sich zu ihren Füßen ergossen hatten, machten sie

Platz für die Nachrückenden. Der Sultan stand auf einer Empore und betrachtete das Treiben. Melika tanzte sich in einen Rausch, und die virilen Männer stellten sich ein zweites, drittes und viertes Mal hinten an, während Melika erstaunliches Geschick bewies, auf dieser rutschigen Bühne nicht den Halt zu verlieren, und ihre Schritte immer richtig setzte. Die Männer versuchten, sie zu treffen, und am Ende des Festes hatte sie nicht nur auf den Beinen und auf dem Bauch ein paar glänzende Flecken, sondern auch auf den Schultern, auf den Armen und sogar im Gesicht.

Am Abend dieses Festtages fühlte der Sultan sich im Gemach in seine Jugend zurückversetzt.

Den jungen Männern wurde am Ausgang von Eunuchen ein kleiner Schnitt über der rechten Augenbraue beigebracht, damit man erkennen konnte, wer versuchte, sich das Vergnügen ein zweites Mal zu erschleichen. Manchmal heilte die Wunde so gut, daß sie es doch noch mal versuchten und dabei den Tod durch den Säbel des Henkers in Kauf nahmen.

Melika überredete den Sultan dazu, den Lebenssaft der Männer mit Gold aufzuwiegen, und dieses Gold schenkte sie ihren Eltern, die somit aus ihrer Not erlöst wurden und ihren Lebensabend in Ruhe und Frieden genießen konnten.

Oriana blieb stehen und grinste auf eine Art, die ich nicht richtig deuten konnte. Die Rubine auf ihren Zähnen.

– Sie blieb also angezogen und unberührt, diese wundersame Tänzerin?

– Ja.

Sie warf den Kopf in den Nacken und lachte.

– Zieh dich aus, sagte sie, als wir im Zimmer waren.

Nackt stand ich vor ihr, sie hatte alles anbehalten, ihren Rock, ihr graues T-Shirt, die Sandalen. Sie wirkte ein wenig unentschlossen, aber als sie sah, daß mir die Einleitung gefiel, ging sie zu dem einzigen Stuhl im Zimmer, setzte sich drauf, die Hände auf den Lehnen. Sie sah mich von oben bis unten an.

– Du bist ein schöner Mann.

Das hatte ich noch nie von einer Frau gehört. Als sie nach einer Pause wieder etwas sagte, war ihr Tonfall schärfer.

– Wichs für mich.

Ich genoß es, wie sie ihren Blick auf meinen Schwanz heftete, ich genoß es, zu sehen, daß der Anblick ihr gefiel.

– Ich mag, wie das aussieht.

Dann schob sie ihren Hintern etwas vor, so daß sie auf der Kante des Korbstuhls saß, ihr Rock rutschte hoch, und sie gab langsam die Knie auseinander. Zunächst dachte ich, es läge an dem dämmrigen Licht oder am Muster ihres Slips, ich konnte nicht sofort erkennen, was dieser lang-gezogene rautenförmige Fleck in ihrem Schritt war. Als ich es begriff, fiel mir als erstes ihr ehemaliger Verlobter ein. Hatte er Oriana dieses Höschen gekauft? Oder ein anderer Liebhaber? Oder sie selbst? Der Schnellfickerslip, ouvert im Schritt. Warum hatte sie so etwas? Wessen Phantasie hatte sie damit befriedigt? War er aus dem Versandhaus-katalog oder selbstgekauft?

– Mach so wie gerade, sagte Oriana, laß mich sehen, wie er wieder groß wird.

Scheiß drauf, wen interessiert es, Mesut, du hast seit zwei Wochen guten Sex mit dieser Frau, natürlich gab es andere, die das auch schon hatten. Hast du dir etwa eine Heilige gewünscht. Hier hast du sie. Die Göttin, die weiß, was sie will, und sie will, daß du für sie wichst.

– So ist es gut.

Ihr Zeigefinger glitt jetzt an dem spitzenbesetzten Schlitz ihrer Hose vorbei, und nachdem sie ihn eingetaucht hatte, legte sie ihn neben den Rubin und wichste sich, während sie ihren Blick nicht von mir abwandte.

– Komm, sagte sie nach einigen Minuten und legte sich rücklings aufs Bett.

Mesut ist nackt, und Oriana legt ihm den noch feuchten Zeigefinger in die Mulde zwischen seinen Schlüsselbeinen, er beugt sich über sie, richtet sich bald wieder auf, sieht, wie sein Schwanz zwischen der weißen Spitze verschwindet, die die dunklen Haare umrahmt. Er greift Orianas Titten durch ihr T-Shirt und geilt sich daran auf, daß wirklich nur ihre Möse entblößt ist. Die Kleidung läßt sie fremd aussehen, entfernter. Als müsse er einen weiteren Weg zurücklegen, um zu ihr zu gelangen, als könne er die Welt noch weiter hinter sich lassen.

Oriana stößt ihn sanft weg, wirft ihn auf den Rücken, setzt sich auf ihn, der Schlitz verrutscht, Mesut spürt den nassen Stoff an seiner Eichel.

– Komm schon, du kleiner Wichser.

Eine helle, nasale Stimme, dann Schreie, von beiden.

5

Wieder lagen wir am Strand und ließen unsere überflüssigen Gedanken vertrocknen, wieder gab es nackte Körper, doch ich hatte mich schon daran gewöhnt. Ich sah nur hin, wenn die Leute gerade kamen, ihre Tasche abstellten, ihr Handtuch oder ihre Strohmatte ausbreiteten, und dann folgte diese halbe Minute, in der sie sich ihre wenigen Kleidungsstücke auszogen, eine halbe Minute raten, den Bewegungen zusehen, der langsamen Entblätterung, dieser täglichen Zeremonie, eine halbe Minute, in der man mehr und mehr sah, eine halbe Minute, die meine Phantasie stärker anregte, als die barbusigen Frauen in knappen Tangas, eine halbe Minute der Reiz der Ungewißheit.

Solange sich die Menschen auszogen, konnte man auf Überraschungen hoffen. Wie bei den beiden Frauen, die sich wenige Meter von uns niederließen. Die eine war groß und schlank, die andere etwas kleiner als Oriana und eher kräftig, fast schon muskulös, alles an ihr schien fest zu sein. Sie zogen sich einfach ihre Kleider über den Kopf, zum Vorschein kam Unterwäsche. Die Große trug einen weißen BH und einen blau glänzenden Slip, die andere ein einfaches baumwollenes Set. Ich sah noch etwas länger hin.

Oriana las in einem Buch, Der Geschichtenerzähler, das fand ich einen guten Titel, einer, der mir Lust machte, es auch zu lesen. Ich hatte sehr viel Zeit mit Büchern verbracht, nachdem meine Eltern, Tante Özlem und Ebru den Unfall gehabt hatten. Ich war völlig versunken zwischen den Seiten, es war wie ein Meer ohne Zukunft und ohne

Vergangenheit, ein Meer aus dem ich nie mehr auftauchen wollte, nachdem so viele Menschen auf einmal aus meinem Leben verschwunden waren. Irgendwann hatten Hanf und Yoga die Seiten wieder abgelöst.

Ich fragte mich jetzt ernsthaft, wie ich es anstellen sollte, Oktay zu suchen, den einzigen, der übriggeblieben war. Natürlich konnte ich noch zwanzig Lokale abklappern, aber das schien mir nicht der richtige Weg zu sein. Wir würden sehen, was der Tag noch brachte.

Ich versuchte mir auszumalen, was für ein Mann Orianas Verlobter wohl war. Etwas nachlässig gekleidet stellte ich ihn mir vor, in weiten Hosen und mit strähnigen langen Haaren, ein wenig vergeßlich vielleicht. Auf den ersten Eindruck ein sanfter Mann, der viel Verständnis für die menschlichen Verhaltensweisen hatte und Oriana Sicherheit bieten konnte. Jemand, der sich erst spät als eifersüchtig herausgestellt hatte, als machthungrig. Die Frage nach dem Höschen war auch noch offen.

Als Oriana ihr Buch kurz zur Seite legte, fragte ich sie:
– Was war dein Mario für ein Mensch?
Sie überlegte einen Augenblick.
– Er war möglicherweise verzweifelt oder vielleicht auch nur auf eine Art eitel, die nicht gleich deutlich wird. Er wollte immer so viel wissen. Was ist Religion, warum brauchen die Menschen das, worin sind wir alle gleich, woran können wir uns festhalten. Er hat sich viel mit Mystik beschäftigt, mit Schamanen, Asketen, Yogis, Sufis, aber er war zu sehr auf Gewinn aus, auf Erleuchtung, er strebte so. Er war fleißig, nicht wie du, aber er war so stolz auf sein Wissen und hat gleichzeitig vorgegeben, es nicht zu sein, weil er ja wußte, daß es nicht zählt, wenn du nach Erleuchtung suchst. Er hat sich mit Tantra beschäftigt, er wollte lernen, wie man einen Orgasmus ohne Ejakulation bekommt. Wenn es menschenmöglich ist, werde ich es ler-

nen, hat er gesagt, aber er hat es so mechanisch versucht. Er wollte mehr und mehr Kontrolle, er wollte das Leben im Griff haben.

Aber ich mochte diesen Fleiß, dieses Zielgerichtete. Wenn ihn etwas interessiert hat, hat er alles darüber in Erfahrung gebracht. Ich habe viel von ihm gelernt. Er war immer so souverän, er wirkte wie jemand, der weiß, was er will. Und, und er hatte so schöne herausstehende Knochen hier an der Schulter, wie zwei Haselnüsse.

– Und der Sex?

– Er konnte mir das Gefühl geben, daß ich sehr wichtig für ihn bin, daß er mich begehrt, daß ich sexy bin, er konnte mich überraschen und manchmal auch überwältigen. Wir haben zwar viel ausprobiert, aber es gab Grenzen, er hat selten ganz losgelassen. Manchmal hatte ich das Gefühl, daß er schon wußte, in welcher Stellung er seinen Höhepunkt haben will, bevor wir überhaupt angefangen haben.

Da war dieser Drang zu bohren, nachzuhaken, wie, Orgasmus ohne Ejakulation – hatte er es geschafft? War er für sie ein besserer Liebhaber gewesen als ich? Zum ersten Mal seit wir zusammen unterwegs waren, hatte ich Lust auf einen Joint.

– Mesut, sagte sie fragend, und ich sah sie an. Zwei oder drei Sekunden fühlte ich mich wie auf dem Flughafen, als sich unsere Blicke getroffen hatten, der Lärm verschwand. Die Hitze, die Welt, die Zeit.

Sie legte mir Daumen und Zeigefinger neben meine Mundwinkel und sagte:

– Da hat sich, glaube ich, gerade ein Lächeln versteckt. Ach, da kommt es schon hervor. Ich habs doch geahnt.

Als sie wieder etwas sagte, war bestimmt eine halbe Stunde vergangen.

– Kam eine schlechte Phase für dich oder hattest du schon früh Sex?

Ich zögerte, dachte über die Frage nach, sie hatte natürlich recht.

– So mit fünfzehn, sechzehn bekam das Wichsen etwas Verzweifeltes, es war keine Art mehr, mir Vergnügen zu verschaffen, sondern ein armseliger Ersatz. Onanie und Wirklichkeit. Ich phantasierte über ältere Frauen, die mich in die Liebe einführten. Ich zog in meinen Träumen die Mädchen aus meiner Klasse reihenweise aus und wurde von Nymphomaninnen dabei erwischt, wie ich mir einen runterholte. Meine Wunschvorstellungen führten mich in Zeiten, in denen man freizügiger gewesen war, zu ausschweifenden Orgien im Mittelalter, zu Orten mit faszinierenden Riten, wo Weitspritzwettbewerbe veranstaltet wurden und der Gewinner eine Frau bekam. Ich wollte endlich ficken, ich wollte wissen, wie sich Brüste anfühlten und wie eine Möse. Ich träumte von Tante Özlem und wie sie mir alles zeigte und genau erklärte, und am Ende spreizte sie die Beine und sagte: Hier mußt du dann später mal rein. Dauernd hörte ich Violent Femmes: Why can't I get just one fuck?

Ich kaufte mir billige Zeitschriften, aber mehr als die nackten Frauen darin, von denen ich mich an keine einzige erinnern kann, erregten mich die Leserbriefe.

– Leserbriefe?

– Fragen an Dr. Sommer und die anderen Briefkastenonkel, die in Sachen Liebe und Partnerschaft unterwegs waren. Die Antworten habe ich nie gelesen. Aber die Fragen, die Fragen ließen mich an Welten glauben, zu denen ich keinen Zugang hatte. Einzelne Sätze, an die ich immer wieder dachte. *Ich muß meinen Freund immer mit der Hand befriedigen, bis er aufstöhnt und kommt. Cornelia, 14 Jahre. Meine Stiefmutter legt mich übers Knie, wenn ich unartig war. Ich bekomme jedesmal einen Steifen davon und denke mir immer neue Streiche aus, um sie zu ärgern. Timo,*

15 Jahre. Als ich unserer Nachbarin vor zwei Wochen eine Salatschüssel zurückgeben sollte, hat sie mich verführt. Jetzt muß ich es überall in der Wohnung mit ihr machen, obwohl ich mich nicht reif genug dafür fühle. Sven, 14 Jahre. Weißt du, wie du diesen Jungen dann haßt und wie sehr du dir wünschst, an seiner Stelle zu sein, der willige Sexsklave einer reifen Frau? Oder: *Als ich vorgestern mit meiner älteren Schwester über Sex redete, sah sie, wie sich mein Glied in meiner Jeans versteifte. Sie holte es raus und rieb daran, bis eine weiße Flüssigkeit herausspritzte. Dann fragte sie mich, ob es mir gefallen habe. Stephan, 13 Jahre. Ich habe meine Schwester zufällig dabei beobachtet, wie sie immer wieder ruckartig einen Edding in ihre Vagina eingeführt hat. Kann man sich dabei verletzen? Ich bin fünfzehn Jahre alt und stelle mir jeden Abend vor, wie es ist, endlich mit einem Jungen zu schlafen. Peggy.*

Ich mußte lachen.

– Weißt du, fuhr ich fort, ich habe früher gedacht, daß es für Mädchen einfacher ist. Sie nehmen einen langen runden Gegenstand, stecken ihn rein und wissen, wie sich das anfühlt. Schlimmstenfalls nehmen sie ein Kondom und füllen es mit Knetgummi oder Fimo. Aber als Junge? Vaseline und deine Hand? Es war ensetzlich, aber ich war süchtig, kein Tag ohne Wichsen, es war wie eine Krankheit und das Heilmittel immer in Sicht, aber nie erreichbar.

Oriana lachte jetzt auch. Ich fragte nicht meinerseits, ich wartete ab und sah zu den beiden Frauen in Unterwäsche, stutzte, als sie aufstanden und Richtung Wasser gingen, und staunte, als sie tatsächlich hineinwateten und nach ein paar Metern anfingen zu schwimmen.

– Ich war auch sehr neugierig, aber ich hatte Angst, sagte Oriana. Ich wollte mich nicht auf etwas einlassen, das mir weh tun konnte. Ich war nicht mutig genug. Ich habe immer sehr kühl getan, wenn Jungen mich ansprachen, es kam mir vor wie ein Abhang, auf dem ich keinen Halt hatte und in die Tiefe stürzen würde. Damals brachten mir Martha und meine Mutter das Kartenlegen bei, und ich versuchte die Karten auszufragen, wer mein erster Mann werden würde.

Aber ich war neugierig, ich wollte Schwänze sehen, aufgerichtete, wie damals am Strand, und schlaffe, wie den von meinem Vater. Ich fand eine Möglichkeit. Viola nahm mich manchmal mit auf Parties, die Jungen dort waren alle älter und die wenigsten waren auf meiner Schule, ich mußte keine Angst vor Indiskretionen haben. Das erste Mal sprach mich ein großer Rothaariger an, er wollte mir sein Marsupilami im Auto zeigen. Er hatte tatsächlich eins auf dem Armaturenbrett kleben, aber bald schon holte er seinen Schwanz raus. Hast du das schon mal gesehen? Ich schüttelte den Kopf. Ich wollte schon weglaufen, als er sagte: Hab keine Angst, ich zeige dir nur, wie ich komme. Ich blieb neben ihm sitzen und sah zu. Als es wenig später ruckartig spritzte, war ich fasziniert. Möchtest du auch mal, fragte er und nahm meine Hand und führte sie an seinen Schwanz, der langsam kleiner wurde. Zuerst war ich unsicher und stellte mich ungeschickt an, aber ich hatte gut zugesehen, er wurde bald wieder größer. Ich war sehr stolz, als er nach kurzer Zeit noch einmal Flüssigkeit verspritzte. Einige Stunden später fragte mich Viola auf dem Nachhauseweg, was das denn für Flecken auf meinen Schuhen seien. Ich wurde rot und sagte, ich wisse es nicht. Wochenlang überlegte ich, ob Viola geahnt hatte, was das war. Ich weiß es bis heute nicht.

Von da an ging ich öfter mit Viola auf Parties, ich verschwand mit Jungen, die ich kaum kannte, auf der Toilette, in einem Zimmer, hinter dem Haus. Ich ließ mich nicht anfassen, wir knutschten, und sehr bald machte ich ihre Hosen auf, nahm ihn in die Hand und beeilte mich, bevor sie nach mehr fragten. Ich nahm ihn auch in den Mund, da ging es meistens schneller, und ich mochte dieses Gefühl, daß ich Macht über sie hatte, und ich mochte, wie sie sich anfühlten, so warm und voller Leben.

– Warum habe ich nie so jemanden auf einer Party getroffen?

– Ich habe mir immer die ausgesucht, die wenig tranken und nicht kifften, das erschien mir sicherer. Hast du damals schon geraucht?

– Ich habe mit vierzehn angefangen.

Ich sah aufs Meer hinaus, und ein Lächeln glitt über mein Gesicht, ich dachte gerne daran zurück. Es waren friedvolle, glückliche Inseln in all dem Frust gewesen.

– Tim hatte ein eigenes Zimmer, Ingo, er und ich haben nachmittags dort geraucht, manchmal waren noch andere dabei, aber meistens waren wir zu dritt. Der ganze Scheiß verschwand in diesem Zimmer, die Streitereien mit meinen Eltern, die Sucht nach Sex, die schlechten Noten, die Pickel, die Unsicherheit, die Zweifel. Timotheus Lengerts Zimmer, als sei dort immer Sommer. Es war eine schöne Flucht. Dort habe ich mein erstes richtiges Pornomagazin gesehen, ich habe diese Bilder mit einer wissenschaftlichen Präzision betrachtet, es tat mir schon weh in den Augen, und ich war erstaunt darüber, daß die Schamlippen viel dicker waren, als ich sie mir vorgestellt hatte. Doch meistens haben wir Musik gehört, Mixgetränke kreiert wie Apfelsaft mit Cola, gelacht über Worte wie Froschschenkel, Bonbons gefressen und uns wohl gefühlt. Was das Rauchen betrifft, war das wahrscheinlich meine schönste Zeit. Aber sie hielt nur ein oder zwei Jahre und hat dazu geführt, daß du mich nie auf Parties hinter das Haus geführt hast.

– Wir haben doch fünfhundert Kilometer auseinander gewohnt.

Die beiden Frauen kamen wieder aus dem Wasser und

vertrieben meine Erinnerungen und die Frage, wie oft sich Oriana wohl dieses Vergnügen gegönnt hatte. Die Kräftige mit dem weißen Set stand praktisch nackt da, ihre Brustwarzen und Schamhaare schimmerten durch den dünnen, nassen Stoff. Sie schaute an sich herunter, strich lachend über ihre Nippel und legte sich dann auf ihr Tuch. Auf den Rücken. Sie schien sich der Blicke bewußt zu sein und es zu genießen, wie junge Männer, Rotweinkenner, Bierbauchträger und Badewannensänger sie anstarrten.

– Die Ozeanier glaubten, daß das Verlangen und die Lust in den Augen wohnten. Von dort gelangten sie ins Gehirn und dann in die Nieren und von dort weiter. Ein Mann mit geschlossenen Augen wird nie eine Erektion haben, hieß ein Sprichwort.

Ich schloß die Augen, während ich Oriana zuhörte. Wieder hatte ich das Bild ihrer Stimme, dunkelblaue Seide mit Sand. Die Stimme, die in ihrer Kehle entstand und dann den Weg nahm durch die Höhle des Mundes, die über ihre Zunge glitt, vorbei an den etwas schiefen Zähnen und dann von den Lippen absprang, um draußen zu verschwinden. Ihr Mund. Essen, Atmen, Reden, Küssen. Arten der Lust und Befriedigung.

– Als Kind glaubte ich, man würde mit dem Mund sehen. Ich weiß noch genau, wie Oktay sagte: Nein, mit den Augen. Ich schloß die Augen und stellte fest, daß es stimmte und meine Theorie falsch war.

Oriana erzählte, wie sie oft zu Hause die Augen geschlossen, sich an die Männer erinnert und masturbiert hatte. An eine Situation hatte sie besonders gerne und lange zurückgedacht: Er hatte sie noch nach Hause gefahren, sie las während der Fahrt in einem Buch, das gerade besonders spannend war. In einer dunklen Hofeinfahrt, gut dreihundert Meter von ihrem Haus entfernt, parkte er den Wagen. Sie verstand den Wink, öffnete mit der Linken seine Hose, hielt mit der Rechten weiter das Buch und las noch eine Seite. Dann war es vorbei mit ihrer Konzentration, doch sie gab vor weiterzulesen, während er dasaß, den Rücken in den Sitz gepreßt, den Hintern vorgeschoben, leise stöhnend. Schließlich landeten einige Tropfen auf dem Steuer.

– Ich habe ihm noch einen Kuß auf die Wange gegeben, eine gute Nacht gewünscht, bin ausgestiegen und nach Hause gegangen. Hab ich mich toll gefühlt.

Es war heiß, selbst im Schatten unseres Sonnenschirms, aber Oriana stöhnte nicht, wischte sich nicht alle zwei Minuten den Schweiß von der Stirn, eher tropfte ihr etwas auf das Buch, sie kam nicht alle Viertelstunde auf die Idee, im Wasser Abkühlung zu suchen. Sie lag da, bewegte sich wenig, schwitzte, trank ab und zu einen Schluck Wasser.

Als ich wieder weit draußen war, fiel mir auf, daß die Luft heute klarer war, die Farben waren satter, die Konturen deutlicher. Das Meer schien dunkler, der Sand heller, fast schon weiß, mit bunten Tupfern drauf. Ein ganzes Stück weiter hinten konnte man die asphaltierte Straße erkennen und winzige Fahrzeuge, die scheinbar gemächlich dahintrudelten. Ich schaute oft zurück.

Es war noch früh am Nachmittag, als ich vorschlug zu gehen, ich wollte heute etwas mehr Zeit haben, Oktay zu suchen. Oriana war einverstanden, und wir kauften uns noch ein Stockbrot, das wir unterwegs teilten. Während die ersten wahrscheinlich so langsam die Luft aus ihren Matratzen ließen, waren wir längst im Yachthafen, und ich fragte in jedem zweiten oder dritten Lokal nach. Die Restaurants standen so dicht beieinander, daß man getrost ein oder zwei überspringen konnte. Die meisten Kellner verstanden ein wenig Deutsch, ich leierte meine Frage alle zwei Minuten runter: Entschuldigung, ich bin auf der

Suche nach jemand, der vielleicht mal hier gearbeitet hat. Oktay, ein großer Türke mit Hakennase und einer Narbe über der rechten Augenbraue, einer, der immer alle Leute zum Lachen bringt. Doch ich erntete nur Schulterzucken, keiner hatte je von ihm gehört.

Später fragte ich doch noch in den Lokalen, die ich ausgelassen hatte. Nach fast zwei Stunden gab ich auf, setzte mich auf einen pilzförmigen Betonsockel, an dem die Yachten festgetäut wurden. Zum zweiten Mal an diesem Tag hatte ich Lust auf einen Joint.

Hatte sich der Kellner vertan, war Oktay in eine andere Stadt gefahren? Sollte ich Oriana bitten, doch noch mal die Karten zu legen? Nein, das wollte ich nicht.

Oriana war die ganze Zeit über still gewesen, ich hatte nicht auf sie geachtet, ich war mit all diesen Kellnern beschäftigt gewesen und mit meiner Frage. Es konnte sein, daß sie etwas mehr Aufmerksamkeit wollte, aber das war mir gerade egal.

Sie hatte ihre Schuhe ausgezogen und sich so hingesetzt, daß ihre Füße ins Hafenbecken baumelten, aber das Wasser stand zu niedrig, sie wurden nicht naß. Ich sah lange auf ihre Füße, Oriana war einen Kopf kleiner als ich, aber wir hatten die gleiche Schuhgröße. Sie hatte schmale Füße mit einem hohen Spann und ungewöhnlich lange Zehen. Ich erinnerte mich, wie mir am Flughafen ihre lackierten Nägel aufgefallen waren. Und daß sie den Lack entfernt hatte, als ich sie vierundzwanzig Stunden später wiedertraf.

– Hast du einen Plan? fragte Oriana, ohne sich nach mir umzudrehen.

– Laß mich ein wenig nachdenken.

Ich saß da, hatte Hunger, meine Laune war zum ersten Mal seit zwei Wochen auf einem Tiefpunkt. Ich holte Luft, einatmen, Bauch geht hinaus, Brustkorb hebt sich, ausatmen, Brustkorb senkt sich, Bauch geht hinein. Ich atmete, versuchte alle Gedanken auszuschalten, nur Orianas Füße und das Plätschern und den Hafengeruch in der Luft wahrzunehmen. Als nächstes nur die Füße und das Plätschern, schließlich nur noch die Füße. Ich wartete, bis sich die Wellen in mir gelegt hatten, ich hoffte, dann klarer zu sehen.

Oriana konnte gerade nicht wirklich stillsitzen, sie schaute sich immer wieder zu mir um. Es ging mir auf die Nerven. Die Sonne hatte eine Farbe wie das Innere einer Papaya. Ich starrte hin, schloß die Augen und betrachtete die Muster hinter meinen Lidern.

– Laß uns was essen gehen, sagte Oriana, und ich stand wortlos auf, sie nahm ihre Schuhe in die Hand, und wir setzten uns wahllos in eins der Restaurants mit Blick auf den Hafen und die untergehende Sonne.

Ich bestellte Sardinen in Tomatensauce und dazu einen Rotwein, Oriana nahm gegrillte Goldbrasse und ein Bier. Wir saßen mit unseren Getränken da, warteten auf das Essen und schwiegen uns an.

– Erzähl mir mehr von Oktay.

Ich zuckte mit den Schultern, ich wußte nicht, wo ich anfangen sollte.

– Wieso ist er eigentlich nach Arabien gegangen?

– Das Geld stimmte. Es ist schwer, eine so gut bezahlte Arbeit in der Türkei zu bekommen.

– Aber einfach so in ein fremdes Land?

– Er hatte keine Bedenken, er wußte ja, daß er klarkommt. Egal, wo er ist, er hat immer eine gute Zeit. Achtzehn Monate war er beim Militär, und als er hinterher davon erzählte, hörte es sich an wie ein Ferienlager. Was es unter Garantie nicht wahr. Er kam dahin, flachste noch mit den Ausbildern, die die Formalitäten erledigten, riß ein paar Witze, alle lachten, doch nach fünf Minuten geriet er an einen Oberst, der ihm, baaaaaam, gleich mal eine scheuerte, wegen Respektlosigkeit. Bei allen heiligen Propheten, hat er sich gedacht, wo bin ich denn hier gelandet? Aber er hat einen Weg gefunden. Später, als er selber Ausbilder war, hat er immer neue Marschierverse erfunden: Wir sehnen uns nach einer Frau, unsere Eier sind so blau, dicke Lippen soll sie haben und möglichst wenig Kleidung tragen. So hat er die Jungs und sich selbst bei Laune gehalten. Als das rauskam, haben sie ihm für acht Wochen den Ausgang gestrichen.

Ich erzählte auch von Oktays Tagen in der Saftbar, wo alle Welt ganz baff war, selbst Touristen aus Basra fandens kaum raffbar, daß der Mann nie geschafft war, Witze riß wie Lenny Bruce und doch nie in Haft war.

– Doch darum geht es eigentlich nicht, weißt du. Es geht um … Eines Tages, unsere Eltern waren gerade nicht da, versuchte ich Oktay zu überreden, Video zu gucken. Was wir nicht durften. Niemand außer seinem Vater durfte an den Recorder, das Ding war heilig. Ich wollte unbedingt diesen Film sehen, Soldier Blue, fast alle Jungs in der Straße kannten ihn und schwärmten davon, wie das Blut spritzte. Und am Ende, am Ende … Das verschwiegen sie immer und nickten sich wissend zu. Oktay wollte nicht Video gucken, er hatte keine Angst vor seinem Vater, aber er wollte lieber draußen spielen. Als er meinen Gesichtsausdruck sah, sagte er: Komm. Er holte den Schlüssel für den Schrank mit den Filmen, der in einer Vase in der Vitrine versteckt war, legte die Kassette ein, und wir machten es uns vor der Kiste bequem.

Kurz vor Schluß gab es eine Störung, der Recorder stoppte von selbst, ich drückte immer wieder auf Play, hastig, schnell nacheinander, weil sich nichts tat. Es gab einige Geräusche, der Film lief noch ein paar Sekunden, stoppte wieder, ich hackte auf die Playtaste ein, ich wollte doch unbedingt das Ende sehen. Und dann blieb die Kassette endgültig stehen. Sie steckte in dem verdammten Recorder fest, er wollte sie ums Verrecken nicht wieder ausspucken, egal, was wir versuchten. Mir wurde heiß. Ich hatte Angst. Ich hatte große Angst vor meinem Onkel. Mein Vater würde mir nicht helfen, das wußte ich. Als Oktay meine Tränen sah, sagte er: Mach dir keine Sorgen, es wird nichts passieren.

Trotzdem hatte ich Bauchkrämpfe vor lauter Angst. Oktay tröstete mich, er würde das schon regeln. Als unsere Eltern kamen, ist er direkt zu seinem Vater gelaufen, was sonst gar nicht seine Art war. Er tat immer unschuldig. Er erzählte, er habe den Schlüssel gefunden und mich überredet, den Film zu gucken, und nun sei die Kassette steckengeblieben.

Mir stiegen wieder die Tränen in die Augen, als ich sah, wie sein Kopf von der Wucht der Ohrfeigen hin- und hergerissen wurde. Ich wars, rief ich, ich wars. Er kann nichts dafür. Aber mein Onkel sagte nur: Siehst du, Mesut ist ein guter Junge, er würde nie auf so eine Idee kommen, aber er ist bereit, sich für dich zu opfern, du ehrloser Zuhälter, dem ich ins Maul scheißen werde.

Und es gab noch mehr Ohrfeigen, Oktays Lippe platzte auf, das Blut tropfte auf den Teppich, und dafür gab es gleich noch ein paar mit dem Handrücken. Am nächsten Tag waren seine Wangen geschwollen, aber er zwinkerte mir zu. Ist nicht so schlimm, sagte er, das sieht nur böse aus.

Er kann damals nicht älter als zwölf gewesen sein. So war er immer zu mir. Auch später noch. Es gibt keinen mehr auf der Welt, dem ich so vertraue. Es gibt keinen mehr, der …

Ich brach ab, stürzte meinen Wein runter.

– Er ist für dich, was Martha, Viola und Elena und meine Mutter für mich sind.

– Ja, wahrscheinlich.

– Wir werden ihn finden, sagte sie.

Ich hatte wieder Tränen in den Augen, und wenn ich es nicht besser wüßte, würde ich sagen, es waren genau dieselben, wie die an dem Tag, als Oktay die Ohrfeigen bekam.

– Und die Frauen? fragte Oriana in einem fröhlicheren Tonfall, was war mit ihm und den Frauen?

– Ich weiß nicht so recht, er war schon ein Charmeur, unterhaltsam, witzig, gutaussehend, stattlich, aber nie ein Weiberheld, sonderlich viel Erfolg hatte er nie. Nur einmal war er länger mit einer zusammen, Sevinç, als sie ihn verließ, war er wohl einige Tage lang geknickt, das hat zumindest Ebru erzählt, es war in einem Winter, in dem wir uns nicht gesehen haben. Sie scheint die einzige gewesen zu sein, die ihm wichtig war. Ich habe mich manchmal gefragt, ob er wohl viel Sex hatte. Ich glaube nicht, ich meine, er ist nach Saudi-Arabien gegangen, so wichtig wird es ihm nicht gewesen sein. Er hat gesagt, ich geh nach Arabien, um näher an der Kaaba zu sein, näher bei Allah. Ich will ja mal ins Paradies und mir von den Huris Getränke servieren lassen.

– Huris?

Ich sah sie an. Das wunderte mich, sie kannte sich doch sonst so gut aus in diesen Dingen.

– In der islamischen Vorstellung ist das Paradies ein Garten, in dem Scharen von jungfräulichen, wunderschönen Frauen den Gläubigen zur Verfügung stehen, die ansonsten auf juwelenbesetzten Polstern ruhen und sich den Wein kredenzen lassen, der ihnen zu Lebzeiten verboten war. Die Diener Allahs werden gelehnt sein auf gereihten Ruhekissen. Und wir werden sie mit schönen, großäugigen Mädchen vermählen, mit Huris.

Jetzt sah Oriana mich ein wenig ungläubig an, aber ich nickte bekräftigend und schob mir noch eine Sardine in den Mund, dieses Thema war eindeutig angenehmer.

– Und willst du auch in diesen Garten?

– Ich legen keinen Wert auf Unberührtheit. Aber wer will nicht in den Garten der Glückseligkeit, gekleidet in Gewänder aus grüner Seide und schwerem Brokat, mit Pokalen in den Händen, die durchsichtig wie Glas sind und doch aus Silber, gefüllt aus der Quelle, die Salsabîl heißt. Wer will nicht lustwandeln zwischen Bäumen, deren reife Früchte tief hängen, damit sie leichter zu erreichen sind, wo Schüsseln aus Gold von Hand zu Hand kreisen, in denen alles ist, was die Seelen begehren und woran sich die Augen ergötzen. Sela.

– Das Paradies, sagte Oriana, das Paradies müßte ein Ort voller feierlicher Zeremonien und Rituale und voller Sex sein.

Sie bestellte ihr drittes oder viertes Bier, ich goß mir etwas Wein nach, meine Laune wurde langsam besser. Morgen würde der Herr noch einen Tag werden lassen.

Wir saßen da, die Kerze flackerte, man sah schon die ersten auf dem Weg in die Straße der Bars, eine Kopfsteinpflastergasse voller Kneipen und Imbißbuden, auf 250 Metern eine Welt aus Cocktails, gegrillten Muscheln und Schafshoden, Popcorn und Bier, Melonen und schwerem Rauch, mit aktuellen Hits, die aus den Boxen dröhnten und sich miteinander vermischten, gutaussehenden Kellnerinnen und Kellnern, die ständig grinsten und die Hüften dauernd ein wenig zu locker bewegten, eine Welt aus jungen Männern und Frauen, die vielleicht die Ekstase suchten, die Nacht, die alle Möglichkeiten bot, aus Vergnügungswilligen, die außerhalb ihres Urlaubs möglicherweise einfach nur motorisierte Fernsehsüchtige waren.

Wahrscheinlich wußten die Kellner Bescheid, ob Engländerinnen im Bett besser waren als Schwedinnen und Italienerinnen leichter rumzukriegen als Deutsche.

Oriana schlug vor, noch etwas zu trinken, bevor es in

dieser Straße zu voll und zu laut wurde, und ich suchte uns einen Laden namens Paradiso aus, es hätte auch jede beliebige andere Bar sein können, es schien kaum einen Unterschied zu machen. Die Bloody Mary schmeckte mir nicht, ich trank sie schnell aus und bestellte einen Long Island Ice Tea, Oriana ließ sich einen zweiten Mojito bringen.

Im Paradiso konnte man über eine schmale, steile Holztreppe auf eine Art Loggia gelangen und von dort das Treiben auf der Straße beobachten. Ein junger Mann um die zwanzig, der sich sehr schick gemacht hatte heute abend, konnte es anscheinend nicht erwarten, Nachschub zu bekommen, und seine Freunde ebensowenig, er ging runter an die Bar, um zu bestellen. Er nahm drei Caipirinhas in zwei Hände. Auf der zweiten oder dritten Stufe sah man, daß die bisherigen Getränke schon seinen Gleichgewichtssinn beeinträchtigt hatten, aber er schien sich seiner selbst sicher. Er glich einen Schwenker nach rechts souverän aus, mit aufrechtem Oberkörper und ohne mit einem Körperteil Halt an der Wand oder dem Handlauf zu suchen. Den nächsten Schwenker wollte er genauso überspielen, nach Sekunden wie in Zeitlupe lehnte er sich zwar kurz mit der Schulter gegen die Wand, doch er verlor das Gleichgewicht, pendelte ungelenk hin und her und plumpste schließlich rückwärts auf seinen Arsch. Oriana lachte schallend. Der Kerl hatte die Gläser, deren Inhalt sich über sein Hemd und seinen Schoß ergossen hatte, noch in der Hand, Eiswürfel glitzerten auf dem Boden, Limettenstücke lagen herum. Er saß da mit einem Gesichtsausdruck irgendwo zwischen ungläubig, dämlich und schmerzverzerrt. Oriana kriegte sich gar nicht mehr ein.

Das hatte ich schon öfter an ihr bemerkt, diesen seltsamen Sinn für Humor, diese Schadenfreude. Es erinnerte mich an eine andere Frau, mit der ich mal eine Zeit zusammen verbracht hatte. Wir hatten uns in einem Park getroffen, etwas getrunken, und dann waren Maja und ich auf die Idee gekommen, um die Wette zu rennen. Ich war der Mann, ich würde bis kurz vor Schluß hinter ihr laufen, um dann auf den letzten Metern gleichzuziehen oder vielleicht sogar knapp zu gewinnen. Bald merkte ich, daß sie ganz schön schnell war, ich mußte mächtig zulegen auf dem letzten Stück, ich gewann, aber ich konnte nicht mehr bremsen, stolperte über die Kante des Wasserbeckens im Park und zappelte in einer ersten Panik wie wild im knie-hohen Wasser. Maja hatte nicht nur Stunden später noch herzhaft gelacht, sie hatte auch gesagt: Du hast mich das erste Mal richtig zum Lachen gebracht. Wir trafen uns schon seit drei Monaten.

Oriana prustete derart, daß der Typ sie mit bösen Blicken bedachte und Worte ausspie. Ich wußte zwar nicht, um welche Sprache es sich handelte, aber die Bedeutung war unmißverständlich: Du dumme Nutte, du verfickte kleine Schlampe, dich müßte man mal ordentlich durch-nudeln, da würde dir das Lachen schon vergehen, du Hure, die jeden für ein Eis am Stiel drüberläßt.

Ich beschränkte mich darauf, ihm zuzuprosten. Er und seine Freunde verließen bald das Lokal, Oriana lachte noch immer.

– Wie er die Gläser in der Hand gehalten hat und nicht loslassen wollte, sagte sie, und ihre Stimme überschlug sich bei den letzten Worten. Ich bedauerte, daß es hier so laut war, ich hätte ihr gerne besser zuhören können beim La-chen.

Wir tranken noch etwas, ich erzählte ein paar Witze, auch den mit dem Frosch, der Jim Beam trinkt, aber damit konnte ich sie nicht begeistern. Mir gefiel es nicht, daß Oriana meistens dann lachte, wenn sich jemand weh tat. Ich hätte viel darum gegeben, in der Lage zu sein, sie zum Lachen zu bringen. Doch das war Eitelkeit. Wenn man jemanden kennenlernt, liebt man sich selbst für die kleinen Veränderungen, die man hervorrufen kann. Sobald das nicht mehr klappt, haßt man den anderen dafür.

Als wir auf dem Weg zurück zu unserer Pension waren, dauerte es keine vier Minuten, und ich begann die Stille zu genießen, es war kaum zu glauben, daß gleich um die Ecke die Hölle los war. Wir bogen einige Male wahllos ab, um durch Straßen zu gehen, die wir noch nicht gesehen hatten, behielten nur grob die Richtung bei.

In einer dunklen Gasse saßen drei Jungs auf dem Mäuerchen eines Vorgartens und rauchten. Ich schätzte sie auf vierzehn, fünfzehn, sie redeten in der Landessprache, und ihr Tonfall kam mir aggressiv vor. Als wir an ihnen vorbeigingen, sahen sie Oriana an, ein wenig geringschätzig vielleicht, und was sie jetzt sagten, war genauso einfach zu verstehen wie das, was vorhin der Mann mit den Gleichgewichtsstörungen gesagt hatte: Hey, die hat klasse Titten. Ja, die würde ich durchbumsen, daß ihr Hören und Sehen vergeht. Sieh dir die Perle an, die braucht mal nen anständigen Fick.

Ich verlangsamte meinen Schritt, drehte meinen Kopf zu ihnen und sah sie direkt an. Ich verspürte den Zorn und die Lust, hinzugehen und zuzuschlagen. In solchen Momenten mußte ich immer an Borell denken. Ihm wäre das nie passiert, bei seinem Auftreten hätte niemand so etwas gewagt. Er sah zwar freundlich aus, immer ein wenig traurig, aber wie jemand, dem man Respekt entgegenbringen mußte. Er hatte eine Aura der Unverletzlichkeit.

Noch während ich überlegte, ob ich was tun sollte, blieb Oriana stehen, zog ihr T-Shirt hoch, entblößte ihre Brüste. Weder die Jungs noch ich verstanden, was da gerade passierte.

– Ist es das, was ihr sehen wollt? Dann guckt gut hin. Mehr werdet ihr nie kriegen, ihr kleinen Vollidioten. Geht nach Hause und holt euch einen runter.

Die Jungs kriegten den Mund nicht mehr zu, Oriana ließ ihr T-Shirt wieder fallen, hakte sich bei mir ein, und wir gingen. Ich war sprachlos.

– Ich bin ganz schön angetrunken, sagte sie, nachdem wir aus der Gasse raus waren. Das wollte ich schon immer mal machen. Sie hassen dich dafür, daß sie dich anbeten, und dann gehen sie nach Hause und opfern dir ihren Samen.

Ich wußte nicht, was ich davon halten sollte. Die Bengel waren verzweifelt und feige und wollten sich unbedingt beweisen, ich konnte das sogar verstehen, aber ich fand nicht, daß sie diesen Anblick verdient hatten. Ich selbst hatte noch nie vorher Brüste mit so großen, dunklen Kreisen um die Nippel gesehen.

– Stell dir eine Welt vor, sagte sie nach einer Weile, wo es den Frauen verboten ist, im Sommer eine Unterhose unter dem Rock anzuziehen. Es gibt diesen begehrten Job, Kontrolleur, du mußt den ganzen Tag Frauen unter die Röcke gucken.

Es war weit und breit niemand zu sehen, ich hob Orianas Rock, sie hatte einen gestreiften Slip an.

– Und was ist die Strafe?

Sie sah mich an, ihr Blick ein wenig starr und glasig, ich schoß ins Blaue, ohne ihr Zeit für eine Antwort zu lassen.

– Die werden übers Knie gelegt.

Oriana sagte nichts. Wir konnten bestimmt in fünf Minuten in unserem Zimmer sein, wenn wir uns beeilten.

– Du bist also mit Slip rumgelaufen?

Sie nickte.

– Du weißt doch, was für eine Strafe dich erwartet?

Sie nickte wieder.

– Ich hatte vergessen, daß Sommer ist.

– Komm her.

– Ich werde es nicht wieder tun.

– Komm her.

Sie schüttelte den Kopf.

Ich packte sie am Handgelenk, sie versuchte sich zu entwinden. Ich faßte fester zu und zog sie unsanft zu mir, drehte ihr den Arm auf den Rücken. Ich setzte mich aufs Bett und zog sie auf meine Knie.

– Bitte nicht, sagte sie und strampelte mit den Füßen.

Ich schlug ihr den Rock hoch, zog den Slip runter, bis er sich an ihren Fesseln kringelte, und schlug dann zu, nicht zu feste. Sie strampelte weiter mit den Beinen und versuchte sich zu entwinden. Ich schlug kräftiger, ihre Gegenwehr ließ etwas nach, die Backen erzitterten bei jedem Schlag, ihr Hintern leuchtete bald rot, und ihr Geruch stieg mir in die Nase.

– Bitte nicht. Bitte nicht mehr, preßte sie hervor, und ich verpaßte ihr noch vier, fünf Schläge, die laut klatschten. Dann packte ich sie und warf sie auf das Bett. Ich zog meine Hose aus und drang von hinten in sie ein, während sie auf dem Bauch lag. Ich schlage sie weiter, sie schiebt eine Hand unter ihren Körper, und Mesut fühlt manchmal ihre Fingerspitze an seinem Schwanz, während sie sich wichst. Er krallt sich jetzt fest, drückt zu, spürt die Hitze unter seinen Händen, stößt fester, weil sie die Pobacken anspannt, Wellen laufen durch seinen Körper, es kommt ihr kurz nach ihm.

6

Vor langer Zeit, als Chaos in der Welt herrschte und die Ordnung noch nicht hergestellt war, aßen die Menschen ihr Gemüse roh und erwärmten das Fleisch auf Felsen in der Sonne. Sie kannten weder das Feuer noch Pfeil und Bogen.

Zu dieser Zeit entdeckte Botoques Schwager ein Papageiennest hoch oben auf einem Felsen. Er ließ Botoque an einer Leiter hochklettern, und Botoque schmiß zwei Papageieneier hinunter, die sich aber in der Luft in Steine verwandelten und dem Schwager die Hände zerschmetterten. Der Schwager trat wütend die Leiter kaputt und ging fort. Botoque blieb oben auf dem Felsen gefangen, mehrere Tage lang. Er hatte großen Hunger und Durst. Schließlich kam ein Jaguar mit Pfeil und Bogen des Wegs, blickte nach oben und fragte Botoque, was geschehen sei. Botoque erzählte, was sich zugetragen hatte, und der Jaguar reparierte die Leiter, damit Botoque den Felsen verlassen konnte. Weil er sah, daß Botoque Angst vor ihm hatte, war er ausgesprochen freundlich und sanft zu ihm. Er hieß ihn auf seinen Rücken sitzen, brachte ihn zu sich nach Hause und stillte Botoques Hunger mit gebratenem Fleisch. So sah Botoque zum ersten Mal in seinem Leben ein Feuer und aß gebratenes Fleisch.

Die Frau des Jaguars mochte Botoque nicht, doch der Jaguar beschloß, ihn zu adoptieren, da sie kinderlos waren. Die Frau des Jaguars behandelte Botoque in Abwesenheit des Jaguars sehr schlecht, sie zerkratzte ihm das Gesicht und gab ihm nur schrumpelige, schlechte Fleischstücke zu essen. Der Jaguar schalt seine Frau ob ihres Verhaltens, doch es nützte nichts.

Eines Tages schenkte der Jaguar Botoque Pfeil und Bogen und lehrte ihn, damit umzugehen.

Als die Frau Botoque wieder mal schlecht behandelte, tötete er sie mit einem Pfeil, nahm die Waffen und etwas gebratenes Fleisch und ging in sein Dorf zurück. Dort erzählte er seine Geschichte und verteilte das Fleisch. Die Menschen beschlossen, das Feuer in ihren Besitz zu bringen, und gingen zum Haus des Jaguars. Da er nicht zu Hause war, stahlen die Menschen nicht nur das Feuer, sondern auch das Fleisch und Pfeile und Bögen.

Der Jaguar war so entzürnt über die Undankbarkeit Botoques, daß er fortan zur Jagd seine Klauen benutzte und das Fleisch roh aß. Doch in seinen Augen kann man immer noch den Widerschein des Feuers sehen.

Als ich so weit rausgeschwommen war, daß ich nicht mehr die asphaltierte Straße erkennen konnte, dachte ich über die Geschichte nach, die Oriana mir am Strand erzählt hatte.

– Was findest du denn an der Geschichte? hatte ich gefragt.

– Es geht, glaube ich, um die Bedeutung des Feuers, hatte Oriana gesagt, das Feuer hebt den Menschen vom Tier ab, es ist zum Wohl der Menschen. Aber für ihr Wohl muß es Opfer geben. Man könnte glauben, daß Botoque undankbar ist, aber er ist einfach bereit, für das Wohl aller Menschen das Geheimnis des Jaguars zu offenbaren. Er tötet die Frau, es muß etwas sterben, damit eine neue Ordnung entsteht. Es muß Leid geben, damit das Chaos aus der Welt verschwindet.

Mir gefiel diese Interpretation nicht besonders, sie schien mir eine unzureichende Erklärung für das Leid.

Außerdem hätte ich es vorgezogen, im Chaos zu leben. Was für einen Sinn hatte der Unfall gehabt? Meine Eltern, Ebru, Tante Özlem, sie waren weg. Gab es seither eine neue Ordnung in meinem Leben. Was war an ihre Stelle getreten.

Als Oriana von dem Jaguar erzählt hatte, war mir Borell eingefallen. Auch er hatte diese Kraft und Eleganz und das Feuer in den Augen und etwas, das vielleicht ein feierlicher Verzicht war auf Dinge, die den meisten Menschen wichtig sind. Ja, Borell war ein Jaguar.

Die Schamanen Südamerikas verwandelten sich ebenfalls in Jaguare und besuchten so die Ober- und Unterwelt, um zu heilen und wahrzusagen. Das wußte ich, weil ich mich für die halluzinogenen Pflanzen interessiert hatte, die den Schamanen die Tore zu der Welt der Geister öffneten. Und das schien mir das Wesentliche an dieser Geschichte zu sein.

Es gab nicht viele Erklärungen, wie das Wissen in die Welt kam, das Feuer, Pfeil und Bogen, das Ayahuasca der Schamanen. Wo war der Ursprung und wie war das Wissen um den Ursprung verlorengegangen?

Ayahuasca, Yage, der Wein der Toten, brachte nach dem Glauben einiger südamerikanischer Stämme das Wissen in die Welt, es lehrte sie Gut und Böse, die Eigenschaften der Tiere, die eßbaren Pflanzen und die Heilmittel. Aber wie hatten sie dieses Getränk entdeckt? Ein Gebräu aus zwei Pflanzen, die jede für sich wirkungslos waren, zusammen gekocht aber ein so mächtiges Halluzinogen ergaben. Das hatten die Menschen kaum durch Ausprobieren herausgefunden, wenn man bedachte, wie viele verschiedene Pflanzen es im Regenwald gab und wie viele mögliche Kombinationen. Dieses Wissen mußte ein Geschenk der Götter gewesen sein.

Die Wirkstoffe der einen Pflanze hemmten bestimmte

Enzyme im Körper, und so erst konnte das DMT, der Wirkstoff der anderen Pflanze, einen in Sphären katapultieren, die mir als erste aller Rauschwelten völlig real erschienen waren. Damals hatte ich zum ersten Mal geglaubt. Ohne jeden Zweifel. Ich hatte etwas gefunden, das mir die Schuppen von den Augen nahm, meine Persönlichkeit auflöste, mich in religiöse Verzückung versetzte und mich die Götter wirklich sehen ließ. Ich hatte etwas gefunden. Etwas, das wieder nur meine Sehnsucht nährte, in diesem Leben genauso überwältigende Erfahrungen zu machen.

Ich drehte mich auf den Rücken, strampelte ein wenig mit den Beinen, wartete auf eine Eingebung, was wir noch tun konnten, um Oktay zu finden. Laß uns heute in den großen Hotels nachfragen, hatte Oriana vorgeschlagen. Es konnte sein, daß wir dort mehr Erfolg hatten, aber ich wollte mir nicht zuviel davon versprechen, ich wollte mir nicht schon wieder die Laune verderben, ich hatte mich doch schon vor längerer Zeit damit abgefunden, Oktay nie wieder zu sehen. Er war möglicherweise der einzige Mensch auf der Welt, bei dem ich wieder das Gefühl für Ordnung und Wärme bekommen konnte, er war der letzte Rest Familie, den ich noch hatte, verschollen, verschwunden, unerreichbar. Langsam schwamm ich zurück.

Oriana lag nicht auf unserem Handtuch. Ich entdeckte sie zehn Meter weiter im Gespräch mit den beiden Frauen, die heute wieder nur Unterwäsche anhatten. Die Kräftigere trug ein grünes Set, dessen BH mit Spitzen besetzt war, die andere nur einen weißen Frotteeslip. Sie hatten sich auf ihre Ellenbogen gestützt, Oriana hockte auf den Fersen, es sah nicht so aus, als wolle sie es sich dort bequem machen. Ich fragte mich, wie sie wohl mit den beiden ins Gespräch gekommen war. Es erstaunte mich immer wieder, wie schnell sie Kontakt fand.

Oriana ließ sich auf den Hintern fallen, drehte ihren

Kopf in meine Richtung, erblickte mich und bedeutete mir zu kommen. Ich hob fragend Hände und Augenbrauen, doch sie winkte mich erneut zu sich.

– Das glaubst du nicht, sagte Oriana, als ich nah genug war, die kennen Oktay.

Dann forderte sie die beiden auf: Tell him.

Ich hockte mich hin, das kam so aus heiterem Himmel, daß ich nicht mal Zeit hatte, überrascht zu sein. Die in der grünen Unterwäsche erzählte in gebrochenem Englisch, daß sie so einen Mann kannte, wie Oriana ihn beschrieben hatte, ein Türke, der Oktay hieß, einsneunzig groß, breit, Hakennase, Narbe über der Augenbraue, immer gut gelaunt und zu Scherzen aufgelegt, aber jemand, der auch zuschlagen konnte, wenn es sein mußte.

– He was our bouncer, sagte sie.

Es stellte sich heraus, daß die beiden in einem etwas außerhalb gelegenen Lokal als Stripperinnen arbeiteten und daß Oktay noch vor kurzem dort Türsteher gewesen war, aber gefeuert wurde, als herauskam, daß er nicht nur ab und zu Minderjährige reinließ, sondern auch derjenige war, der schon dreimal die Bühne mit Schmierseife veredelt hatte. Die Frauen waren wohl sehr verärgert darüber gewesen, aber jetzt, wo er weg war, vermißten sie ihn.

Er sei in das Nudistendorf gefahren, das an der Südküste lag, um dort Arbeit zu suchen, sagte die in dem Frotteeslip. Das sei ihm als das Richtige erschienen, nachdem er nun daran gewöhnt war, jeden Tag nackte Frauen zu sehen.

Mein Atem hatte sich immer noch nicht beruhigt, vielleicht hatte ich aber auch einfach nur vergessen, Luft zu holen. Ich sah die beiden an, Stripperinnen also. Die Barbusige hatte kleine Brüste mit Nippeln fast so rot wie ihre Lippen, bei der anderen schimmerte kein einziges Haar durch den Slip, obwohl er bis zur leichten Erhebung ihres Venushügels mit Spitze besetzt war. Stripperinnen also, das erklärte jedoch nicht, warum sie sich nicht einen Bikini oder Tanga kauften.

Oriana machte noch ein wenig Smalltalk, ich saß still da und stellte mir Oktay als Türsteher in einem Striplokal vor, wie er aufrecht dasteht, die Hände knapp über den Hoden aufeinandergelegt, sich das Lächeln verkneift und es schafft, böse auszusehen.

Als wir noch klein waren und Borell in dieses Holzhaus ging, das uns Rätsel aufgab, war Oktay auf die Idee gekommen, uns abends zu verstecken und, sobald die Tür aufging, reinzulaufen. Wir würden schon etwas finden, das unsere Neugier befriedigte. Drinnen fanden wir uns vor einem riesigen Kerl wieder, einem Mann mit Glatze und buschigem Schnäuzer, der nach Anis roch, uns mit einer Menge Verwünschungen und Fußtritten davonjagte und uns richtige Prügel androhte, falls wir es noch mal wagen sollten, über die Schwelle zu treten.

Später fragte ich Oriana, wie sie denn mit den beiden ins Gespräch gekommen sei.

– Ich mußte auf die Toilette und hatte kein Taschentuch. Unterwegs habe ich gesehen, daß die beiden Klopapier haben. Ich habs mir geliehen, und als ich es zurückgeben wollte, haben wir uns ein wenig unterhalten.

Ich küßte sie auf die Nasenspitze.

– Das hast du hervorragend gemacht.

– Irgend jemand meint es sehr, sehr gut mit dir.

Ich konnte es gar nicht richtig fassen, da mühte ich mich zwei Tage ab und dann überkam Oriana dieses Bedürfnis, sie verdrängte ihren Ekel vor den Klosetts, und es plumpste ihr in den Schoß.

– Stripperinnen.

– Ja, wie die kleine Elena. Sie haben uns für heute abend eingeladen.

– Möchtest du hin?

– Wieso eigentlich nicht? sagte sie. Warst du schon mal in so einer Show?

– Ja, zweimal.

Ich sagte nichts weiter, und sie fragte nicht nach.

– Wann hast du zum ersten Mal eine nackte Frau gesehen? Ganz nackt und in aller Ruhe?

– Mit siebzehn. Meine erste Freundin, bis dahin hatte ich noch nie auch nur einen Busen befühlt. Und bis ich mir alles in Ruhe angesehen habe, sind auch Wochen vergangen.

– Ich habe meinen ersten nackten Mann mit neunzehn gesehen.

– Bitte? Du hast doch gestern erzählt ...

– Nackt, splitterfasernackt. Nicht mit runtergelassenen Hosen oder freiem Oberkörper.

Ich starrte sie an. Das verstand ich nicht ganz.

– Nachdem meine erste Neugier befriedigt war, habe ich eine lange Zeit nur Doors gehört. Waiting for the sun, du weißt schon. Ich wollte etwas Ungeheuerliches, etwas, das mich überwältigt und mir die Sinne raubt, das einfach über mich kommt. Ich habe von geheimnisvollen, dunklen, fremden Männern geträumt, die mich mitnehmen. Ganz selten habe ich mir noch Schwänze angesehen oder sie in den Mund genommen. Ich wollte etwas anderes.

Viola hatte in der Zeit eine Phase, in der sie oft neue Liebhaber hatte, und ich hielt das für falsch. Sie probierte rum und war nie wirklich zufrieden. Ich versuchte lieber die verschiedenen Legesysteme für die Karten immer besser zu lernen, ich wollte nach der Schule Wahrsagerin werden. Mein Vater war dagegen, aber sein Wort hatte bei uns nicht viel Gewicht. Meine Mutter sagte, mein Glücksstern stünde hoch, ich könnte eine gute Wahrsagerin werden. Viola fing an, Sprachen zu studieren, und Martha, ich habs dir ja erzählt, Martha hatte festgestellt, daß sie sich zu

Frauen hingezogen fühlte, und lebte mit einer Ärztin zusammen. Sie hatte ein Café eröffnet, das Therapie hieß, aber von allen, die gern dort hingingen, Tribadentreff genannt wurde.

Nach und nach übernahm ich Kunden von meiner Mutter, fuhr Oriana fort, manche empfahlen mich weiter, und schon bald verdiente ich genug Geld, um auf eigenen Füßen zu stehen. Eines Tages lernte ich einen Jungen kennen, Mahadev, seine Mutter war Inderin. Er war einundzwanzig, ein sehr sanfter, einfühlsamer Mensch, der ein wenig so aussah, als wisse er etwas, das andere Jungen in seinem Alter nicht wissen. Er hatte braungrüne Augen und kurze, dunkle Haare, aber er war nicht der geheimnisvolle Fremde, er hatte noch etwas Bubenhaftes, Unschuldiges.

– Und mit ihm …?

– Ja, er war der erste. Ein Abendessen, ein Glas Wein, Kerzenlicht, er hat sich Mühe gegeben, aber das einzige, woran ich mich noch richtig gut erinnere, ist, daß Bim Sherman lief. Ich hatte ihn noch nie gehört, er klang so dunkel, weich und tief.

– Warst du enttäuscht?

– Nein. Es war nicht überwältigend, aber Bim Shermans Stimme versprach mir mehr, ich hatte ja gerade erst angefangen, es war noch so neu. Nach einigen Wochen konnte ich es richtig genießen. Du warst enttäuscht, oder?

– Ja, ich hatte gedacht, alles würde sich ändern, ich wäre ein neuer Mensch, erwachsen, selbstbewußt, befriedigt. Ich hatte so lange danach gegiert, ich hatte so lange geglaubt, daß alle meine Probleme und Sorgen damit zusammenhingen, aber es war nicht der erwartete Wendepunkt.

– Siehst du, ich wollte nie jemand anders werden, für mich war das ein Land, das ich betreten wollte, eine Insel. Atlantis. Das wahre Atlantis. Für mich war Sex eine kosmische Lektion, die ich zu lernen hatte. Ich stand dem demütig gegenüber. Aber ich ahnte, daß man keine Religion daraus machen kann. Ich sah bei Viola, daß Sex auch seine lächerlichen und tragischen Seiten hat. Die Menschen wurden einfach nicht fertig damit, sie machten ein Spielzeug daraus, ein Spielzeug, mit dem sie einander kaputtmachten.

Wollte sie mir damit zu verstehen geben, daß es gefährlich war, was wir taten?

Es entstand eine Pause.

– Hast du damals angefangen zu dealen?

– Eher etwas später. Ich habe viel geraucht, jeden Tag, und irgendwann wurde ich Herr über das Gras. Ich konnte völlig breit sein und mich unauffällig verhalten, ganz normal funktionieren. Und das Gras wurde Herr über mich. Wenn ich nüchtern war, machte mir nichts richtig Spaß, die schönen Dinge wurden schöner vom Rauchen, und die einfache Schönheit reichte mir nicht mehr, ich wollte immerzu rauchen. Deshalb habe ich ja schließlich aufgehört, ich wollte meine natürliche Fähigkeit zur Freude zurückhaben.

Es war ein teures Vergnügen, also fing ich an, ein wenig zu verticken, in kleinen Mengen, hier und da, um meinen Eigenbedarf zu sichern. Das hat sich irgendwann im Laufe von ein, zwei Jahren verselbständigt. Eines Tages stehst du da und merkst: Ich habe immer sehr viel mehr im Haus, als ich alleine in einem Monat rauchen kann. Ich bin ein Dealer. Ich fand es nie cool oder war stolz darauf, ich habe nie mit der Kohle geprahlt und auf Gangster gemacht, aber es erwies sich als eine einfache und angenehme Art, Geld zu verdienen. Ich bin da so langsam reingeschlittert, und irgendwann findest du Wege, dir ein Kilo für dreitausend Mark zu kaufen, und kriegst es spielend für das Drei- bis Vierfache wieder los.

Ich hatte immer Glück. Eine Zeitlang nannten sie mich

Mesut, die Legende. Alle glaubten, ich würde die Bullen schmieren. Du konntest Tag und Nacht bei mir anklingeln, ich hatte immer was da, nie mußte ich jemanden verabschieden, der mit leeren Händen ging. Damals habe ich keinen Alkohol getrunken. Ich bot jedem Tee an, plauderte mit ihm, gab ihm das Gefühl, einen guten Preis ausgehandelt zu haben. Selbst wenn mich jemand wegen popeliger zwei Gramm aus dem Bett holte, war ich nicht verärgert. Es war ein guter Job. Ich habe mich nie geschämt dafür, ich fand es aber auch nicht notwendig oder sogar subversiv, was ich da machte. Die Legalisierungsfanatiker und Ersatzreligionsraucher waren mir immer sehr suspekt.

– Hast du auch andere Sachen verkauft?

– Nein. Ich habe alles genommen, was ich kriegen konnte, aber ich wollte nicht damit handeln, das schien mir mit einer zu großen Verantwortung verbunden zu sein.

– Ich verstehe nicht, wie man sich so etwas trauen kann.

– Drogen zu nehmen? Ich verstehe nie, wie man das nicht machen kann. Ich war immer neugierig, ich wollte alles erleben, was irgendwie möglich ist. Ich wollte den Rausch, es war eine Möglichkeit, sich frei zu fühlen, vollkommen frei. Und es gab mir die Gelegenheit, die Welt aus einer anderen Perspektive zu sehen. Als ich das erste Mal LSD genommen hatte, kam mir die Sprache plötzlich so klein und unzulänglich vor. Ich wollte eine neue, dreidimensionale Sprache erfinden, mit der man alles erfassen kann.

– Hattest du auf LSD auch Sex?

– Ja, das ist … Es hat nichts mehr mit Geschlechtsorganen zu tun, du verlierst dich in einer Welt aus Farben, Mustern und Glück. Du hörst auf zu existieren. Es hat mich verwirrt und abgelenkt, wenn ich dabei zu lange die Augen auf hatte. Du willst nicht sehen, wie sich das Gesicht der Frau verändert, die Färbung ihrer Brüste, die aufs Bett zu fließen scheinen, als wären sie aus zähem Honig und wollten sich davonmachen. Du willst nicht sehen, wie sich alles im Zimmer dreht und Blasen wirft, atmet. Es ist zuviel. Aber mit geschlossenen Augen, am besten wenn die erste sturmhafte Phase vorbei ist, ist es einfach wunderschön.

– Das ist es doch sowieso schon.

Ich lächelte, sie hatte natürlich recht. Irgendwo war der Punkt, ab dem man alles hinter sich ließ, und wenn man den erreicht hatte, war es sowieso egal.

Der Türsteher, den sie jetzt hatten, sah aus wie eine Bulldogge, die man mit Steroiden gefüttert und dann in einen Anzug gesteckt hat. Oriana lächelte ihn an, sagte ein paar Worte, und er winkte uns mißmutig rein.

– Was hast du zu ihm gesagt?

– Daß ich heute abend hier anfange und daß du mein Bruder bist, der auf mich aufpassen soll.

– Und was hast du ihm gesagt?

– Keine Ahnung. Paula meinte, wenn ich diese Worte wiederhole, kommen wir umsonst rein. Vielleicht heißt es: Sesam öffne dich. Oder: Wir sind die beiden Gäste. Oder: Ich blas dir einen, wenn du uns reinläßt.

Oriana trug ein schwarzes Kleid und ihre hochhackigen Schuhe, ich hatte eine lange graue Hose an und ein bordeauxfarbenes Hemd. Der Laden lag außerhalb der Stadt, solche Vergnügen waren meist teuer, also hatten wir uns für diese Variante entschieden.

Drinnen gab es eine Bar, an der dickbäuchige Urlauber lehnten, Bermudashorts, Hawaiihemden, Jeans, T-Shirts mit der Aufschrift: *Instant asshole – just add alcohol* und *Tell me now, before I spent 20 $ on drinks*. Fehlte nur: *Ich bin kein Mann für eine Nacht – soviel Zeit habe ich nicht.*

An den Tischen saßen auch ein paar Männer, hielten sich an Gläsern fest und rauchten und lachten. An einer Wand war eine hüfthohe Bühne mit einem riesigen Spiegel dahinter und zwei Stangen am vorderen Rand, die bis zur Decke reichten. Oriana war außer der Barfrau im Moment das einzige weibliche Wesen im Raum, und die Männer sahen sie an, als würden sie sich fragen, ob das die Nymphomanin war, von der sie seit Jahren träumten, oder ob ich sie gezwungen hatte mitzugehen. Wir setzten uns an einen freien Tisch.

Als wir bei der Barfrau, die dünne Zigaretten mit Spitze rauchte und die ich auf Anfang Fünfzig schätzte, Bier bestellten, kam ein weiteres Paar zur Tür rein. Beide in den Dreißigern, sie ein wenig unscheinbar und mager, in einem knappen Kleid, er schlank mit einem beginnenden Bierbauch, in Lederhosen und Netzhemd. Er zwinkerte mir zu, als unsere Blicke sich trafen.

Ich sah weg, unser Bier kam, ich stieß mit Oriana an. Einen Moment war ich versucht, die Flüssigkeit wieder auszuspucken, sie schmeckte wie Zuckerwasser, das man mit Bier verdünnt hat. Auch Oriana verzog das Gesicht.

Der Mann in dem Netzhemd, durch das man die Brustwarzen sehen konnte, steuerte mit seiner Frau auf unseren Tisch zu und fragte, ob hier noch Platz sei. Auf deutsch. Ich zögerte kurz und deutete dann mit der Hand auf die beiden freien Stühle. Ich sah Oriana an, sie schloß kurz die Augen und deutete ein Nicken an.

– Sind Sie das erste Mal hier? fragte der Mann.

– Non parliamo tedesco, sagte Oriana, und ich hoffte inständig, daß der Wortschatz der beiden sich auf, prego, grazie, Espresso und Tiramisu beschränkte.

– Oh, Italiano, sagte der Mann.

– Siciliano, sagte Oriana, und damit war das Gespräch vorerst beendet.

Ein Stück mit einem stampfenden Beat fing an, und die

muskulöse Frau kam auf die Bühne. Sie hatte weiße hochhackige Schuhe an, einen String und einen Büstenhalter und ein durchscheinendes Tuch um die Schultern, das ihr bis fast zu den Knien ging. Das Geplauder verstummte, die Männer, die an der Bar gestanden hatten, postierten sich links und rechts von der Bühne.

Die Tänzerin schmiegte sich an die Stange, nahm den Fuß in die Hand, brachte ihn mühelos hinter den Kopf. Sie zeigte uns noch mehr Kostproben ihrer Beweglichkeit, spulte ihr Programm ab, zog sich aus, hielt sich aber mit dem Tuch bedeckt. Wir bekamen ihren nackten Hintern zu sehen, doch als die Musik zu Ende war, stand sie aufrecht an der Vorderkante der Bühne, die Hand mit dem zusammengerafften Tuch in Höhe ihres Bauchnabels, so daß es aussah wie ein Ausrufezeichen, das uns die Sicht versperrte. Sie verbeugte sich, die Brüste schaukelten leicht. Einige pfiffen, andere klatschten verhalten.

Als sie sich wieder aufrichtete, war es still, ich dachte, die Show sei schon zu Ende, doch dann ließ sie das Tuch fallen und stand einfach nur da, drei, vier Sekunden lang. Die fülligen, glatten Bäckchen mit der schattigen Vertiefung hypnotisierten mich. Die Musik setzte wieder ein, langsamer dieses Mal, ein paar Männer johlten, und jetzt begann sie sich zu bewegen, an der Stange zu reiben, legte sich auf den Rücken, spreizte die Beine, brachte sie sogar beide zugleich hinter den Kopf, aber das fand ich langweilig. Am Strand hatte ich sie erregender gefunden. Die Worte in allen möglichen Sprachen, die sie jetzt hörte, waren das Versprechen, es ihr richtig zu besorgen, wenn sie einen Mann brauchte.

Oriana sah weiter neugierig nach vorne. Es war kein Anzeichen von Erregung in ihrem Gesicht zu lesen. Der Mann an unserem Tisch streichelte seiner Frau über den Oberschenkel, den Blick weiter auf die Bühne gerichtet, sie nippte an ihrem Sekt.

Ich hätte gerne etwas zu Oriana gesagt, aber ich konnte kein Italienisch.

Hinterher kam die andere Frau auf die Bühne, Paula, flüsterte Oriana, auch sie war erstaunlich gelenkig, aber das interessierte mich nicht. Ich dachte an dieses Striplokal in London, wo ich in einer Ecke einen Flipper entdeckt und daran gespielt hatte, bis die beiden, auf deren Vorschlag wir da reingegangen waren, genug gesehen hatten oder zuviel.

Es war mir zu anonym, zuviel Fleisch, zuwenig Gefühl. Nur ich und ein Porno, das war die intimere Variante.

Aber ich erinnerte mich auch daran, wie Tim von seinem ersten Spanienurlaub mit fünfzehn erzählt hatte. Bei einem Stripwettbewerb in einer Disco hatte sich eine junge Arzthelferin aus Dortmund ganz ausgezogen, auf den Rücken gelegt und mit den Fingern die Lippen gespreizt. Ich hatte oft masturbiert zu dieser Vorstellung: eine ganz normale Frau, die so weit geht, aufgeputscht von Alkohol, Applaus und Affirmation.

Ich dachte daran, wie er zwei Jahre später von diesem Laden erzählt hatte, wo die Stripperinnen einen Zuschauer auf die Bühne geholt und ihm vor allen Leuten einen gewichst hatten.

Das war ein privates Kino in meinem Kopf, wäre ich dabeigewesen, hätte es mich wahrscheinlich nicht erregt.

Und wir saßen nun neben einem deutschen Paar, und der Mann fragte mich auf englisch, ob ich *in exchanging partners* interessiert wäre.

-I'm sorry, my sister is frigid, sagte ich.

Dann drehte ich mich zu Oriana, die gerade gähnte, und sagte auf deutsch:

– Laß uns verschwinden aus diesem Scheißladen.

Wir waren fast eine Stunde im Palm Beach gewesen.

– Ich fand es schön, sagte Oriana draußen, die Atmosphäre ist zwar zu kalt, und wenn sie Fickbewegungen machen, sieht das nicht gut aus. Aber Paula konnte so elegant und anmutig tanzen. Darauf würde ich als Mann, glaube ich, stehen. So weiche Bewegungen und dieser biegsame Rücken.

Ich hatte nicht richtig hingesehen, als Paula auf der Bühne war. Jetzt fragte ich mich, ob ich etwas verpaßt hatte.

– Bist du sauer, weil ich gehen wollte?

– Es war ein bißchen plötzlich, aber es ist schon in Ordnung, antwortete Oriana.

Wir kauften uns eine Flasche Wein, gingen in die Pension, setzten uns, ohne das Licht anzumachen, aufs Bett. Im halbdunklen Zimmer tranken wir schweigend, bis Oriana anfing, leise zu summen. Ich hielt die Flasche fester, damit der Wein nicht gluckerte, und Oriana sang. Look what they done to my song, ma, look what they done to my song. Noch nie war ich mit einer Frau zusammen gewesen, die singen konnte. Ich schloß die Augen und hörte ihr zu, das war so schön, daß ich den Text nicht mitbekam. Danach war es wieder still.

Ich wollte Musik. Ich wollte hören, wie meine Fingerspitzen über ihre Augenbrauen glitten, mein Nagel an ihrem vorstehenden Eckzahn rieb, meine Nase ihre Ohrmuschel streichelte. Ich wollte meine warmen Handflächen auf zwei Rundungen ihres Körpers legen, ich wollte die Knochen unter ihrer Haut spüren, ihre Haare an meiner Schulter, ich wollte, daß die Wärme meines Atems sich mit der Wärme ihres Körpers vermischte. Ich wollte spüren, wie mein Schenkel an ihrem klebte, als seien es eigene Wesen, zwei Elfen, die Zauberei miteinander trieben, um sich zu vemehren. Ich wünschte mir, Orianas Mark zu berühren, als wäre ich ein träger, brummender Baß. Ich wollte ihre Härchen unter meinen Lippen spüren, zuhören, wie sie eine Gänsehaut bekam, ein Schmatzen, ein Kuß, ein Schnurren, Stöhnen, Kratzen, Rauschen, ein Aufbäumen, Zerfließen, ein Duft nach Zedernholz, Brombeeren, Vanille und Koriander, der Geschmack von Manna, das seidig glänzende Elixier, das zwischen ihren Lippen hinausgleitet, der helle Klang von Tempelglöckchen.

Oriana stand auf, ich hörte ihre nackten Füße auf dem Teppich, ich hörte sie pinkeln, als würde ein dünner, silberner, zitternder Honig in einen Pokal gefüllt. Sie zog nicht die Spülung. Sie wußte von der Musik.

Sie weiß um den Klang, den Rhythmus, um die Musik, die die Tür öffnet. Wir treten hinaus.

7

Haben Sie schon alles genommen, gefickt bis zur Ekstase, die ganze Palette der Vergnügungen ausprobiert, und alles erscheint Ihnen ein wenig langweilig? Dann haben wir hier das Richtige für Sie, die neue Droge. Sie sehen Gott, wie er das himmlische Orchester dirigiert, Sie hören die Engel an den Fanfaren und den heiligen Geist höchstpersönlich am Schlagzeug. Sie erfahren das Universum in seiner Ganzheit. Endlich eine Droge, die hält, was sie verspricht. Wollen Sie kosten? fragt mich eine Stimme, und ich sage: Ja. Ja, natürlich, liebend gern.

Als nächstes bin ich mit Tim in einem Zimmer, er ist euphorisch, total aufgedreht, erzählt mir von dieser neuen Droge, die er an der japanischen Küste während eines Sturms genommen hat. Das Geilste, sagt er, ganz weit vorn, es spült dich so fort, du vergißt alles andere, du springst und tanzt. Er reißt die Arme in die Höhe und schreit aus vollem Hals: Es war so gut, Energie, Liebe, Lines dick wie Nylonstrümpfe haben wir uns reingezogen, wir waren so drauf.

Er hat derart viel Feuer in der Stimme, daß ich mich schon selber diese Droge nehmen sehe und fast fühle, was er gefühlt haben muß. Das Glücksgefühl ist zu groß, ich wache auf.

Einige Sekunden lang weiß ich nicht, wo ich bin, wer ich bin, ob ich eine Vergangenheit habe oder gerade erst ins Leben trete. Ich richte mich auf, blicke mich um, dämmriges Licht, eine Frau, die mir den Rücken zugewandt hat, liegt neben mir, das Zimmer kenne ich nicht.

Dann kommt die Erkenntnis, viel zu schnell, ich bin wieder hier und jetzt, innerhalb der Schranken, das Glücksgefühl glüht nach, ich versuche mir den Traum einzuprägen.

Ich streichle über Orianas Hintern, sie schläft noch, ich lasse meinen Zeigefinger langsam die Spalte hinuntergleiten, bis ich ihr kleines Loch fühle. Dort verharre ich eine Weile, mache kreisende Bewegungen, spüre die Wärme und eine leichte Feuchtigkeit. Ich ziehe meinen Finger hervor und rieche an ihm, ein schwerer, angenehmer, ledriger Duft, mein Schwanz richtet sich auf. Ich befeuchte ihn mit Spucke, presse mich an Oriana und schiebe ihn rein. Sie bewegt ihre Hüften, um mir ein wenig entgegenzukommen, und stellt sich dann wieder schlafend. Nach einigen Stößen halte ich inne, denke an gestern abend, höre die Musik wieder, meine Muskeln entspannen sich, und ich döse weg mit diesen Klängen im Ohr.

Wir saßen in einem Bus, es war klebrig heiß, und es roch nach Orangen, die eine Frau vor uns gerade für ihr Kind schälte, nach kaltem Rauch, Schweiß, Deodorant und ein wenig danach, als hätte sich jemand die Schuhe ausgezogen, um seinen Füßen die Ruhe zu gönnen, die sie schon seit Tagen nicht mehr hatten.

Ich beugte mich zu Oriana, steckte meine Nase hinter ihr Ohr und atmete tief ein. Fast gleichzeitig machte der Fahrer die Tür auf, und es kam frische Luft in den Bus.

– Als wir noch klein waren, wollte Elena Stripperin werden, sagte Oriana. Sie stellte sich vor, sie würde auf einer Bühne stehen, und alle würden sie bewundern. Ich will später soo große Brüste haben, sagte sie immer und zeigte mit den Händen etwas, das tatsächlich möglich war. Sie ging zum Ballett, und wenn sie etwas Neues gelernt hatte, zog sie sich abends aus und zeigte es mir. Nackt zu tanzen bereitete ihr großes Vergnügen. Sie wäre gerne eine richtige

Tänzerin geworden, aber sie war zu klein und kräftig. Später hat sie wirklich eine Zeitlang als Stripperin gearbeitet, es machte ihr nichts aus, sich so zu präsentieren, sie war irgendwie abgebrüht. Beim Ballett faßt dich ein Mann überall an, und du kannst dich nicht zurückziehen, wenn er dir zu nahe kommt, sagte sie, also lernst du, unempfindlich zu sein. Es hat ihr trotzdem wenig Spaß gemacht.

– Kann ich verstehen, es macht wahrscheinlich nie Spaß, in der Industrie zu arbeiten.

– Weißt du, es müßte so etwas geben wie die Arioi früher auf Tahiti. Hast du davon schon mal gehört? Das war eine Art Zirkus, Männer und Frauen zogen von Dorf zu Dorf und gaben freizügige Vorstellungen, die oft in Orgien endeten. Es war eine große Ehre, zu dieser Truppe zu gehören, und nur Leute aus ranghohen Familien wurden aufgenommen. Sie verzichteten auf die Ehe und auf Kinder, um ihren heiligen Aufgaben nachzukommen.

– Arioi? Das gab es wirklich?

– Ja. Es gab auch Ledigenhäuser, die nur dazu dienten, daß die Jugendlichen miteinander schlafen konnten. Sex war sehr wichtig, man glaubte, daß er Gesundheit und Wachstum fördere, und fing möglichst früh damit an.

– Keine Fünfzehnjährigen, die Abend für Abend von ihrem ersten Mal träumen, Arioi, die heilige Peepshow. Hört sich nach einem Paradies an.

– Ja, zuerst hört sich alles so an, das man nicht kennt. Es gab strenge Regeln. Man durfte im Beisein der Schwester noch nicht mal ein obszönes Wort benutzen, das galt schon als Inzest. Einige Ozeanier lachten über die Missionarsstellung der Europäer und verachteten sie. Bei ihnen kauerte der Mann normalerweise mit aufrechtem Oberkörper vor der Frau. Man stellt sich immer alles zu schön vor, aber ich wäre trotzdem gerne mal bei so etwas dabei, Zeremonien, Rituale, ausschweifende Feste. Es müßte etwas Religiöses haben.

– Wie Tempelhuren, warf ich ein.

– Kennst du dich aus damit?

– Als ich noch viel Yoga gemacht habe, habe ich mich mit diesen indischen Sachen beschäftigt. Und viel, viel geraucht. Es paßte gut zusammen. Meine hanfroten Augen nach innen senkend, lebe ich dich im Rausch, und die Welt habe ich hinter mir gelassen. Bom Shankar. Dir zu Ehren hebe ich mein Dschillum an die Stirn. Om nama Shiva.

Ich konnte eine halbe Stunde in einer Yogastellung verharren, wenn ich genug Gras geraucht hatte. Meditation war ein Kinderspiel. Es kam mir absurd und dumm vor, ohne Hanf zu meditieren, und vor allem tödlich langweilig. Erst viel später habe ich verstanden, daß ich nicht meditierte, sondern meine Gedanken rasten und nicht zu beruhigen waren. Ich war unfähig, mich zu bewegen, weil ich soviel Unterhaltung im Kopf hatte.

Damals habe ich gelesen, wie die Erstgeborene dem Gott zum Geschenk gemacht wurde, dem Tempel geweiht, wo sie lesen und schreiben, singen und tanzen lernte und in die Künste der Liebe eingeführt wurde. Als später die Briten die kleinen Mädchen alphabetisierten, gingen die Eltern wie selbstverständlich davon aus, daß sie auch in die Welt des Sex eingeführt wurden. Wie oft habe ich mich im Rausch zu den Prostituierten im Dienst der Götter geträumt. Früher verkehrten wir mit Tempelhuren, heute versehren Stempeluhren unseren Alltag, ich sehe morgens keinen, der abends gut geknallt hat.

– Ja, aber wenn du wirklich dort gewesen wärest, hättest du vielleicht nicht genug Geld gehabt, wärst in eine falsche Kaste hineingeboren worden oder hättest dich verliebt in eine Tempelhure, die dich dann zu Ehren der Götter ausgenommen hätte. Die Lust ändert sich nicht, glaube ich, sie findet nur verschiedene Wege. Was mich stört, ist, daß sie nicht mehr heilig ist.

Ich versuchte mir vorzustellen, wie diese Arioi wohl gelebt hatten auf dem Weg von einer Vorstellung zur nächsten, worüber hatten sie gesprochen, hatten sie sich züchtig verhüllt, um die Begierde für die nächste Show zu steigern, oder sich ständig gegenseitig gereizt? Unterhielten sie sich darüber, welches Dorf die ausschweifenderen und besseren Feste feiern konnte? War ihr Leben ein einziges rauschhaftes Vergnügen? Kam es zu Gruppen- und Paarbildungen, gab es Eifersucht? Welche Regeln mußten sie befolgen? War es nicht belastend, wenn man bei jeder Vorführung verpflichtet war, eine Erektion zu bekommen? Wie sehr konnten sie ihre Zuschauer dazu animieren, alle Hemmungen fahrenzulassen? Oder hatten die Zuschauer sowieso keine Hemmungen?

– Kennst du noch mehr solche Dinge, wie Arioi? Ich stelle mir so etwas sehr gerne vor.

Oriana lächelte etwas spitzbübisch, ließ ihre Eckzähne sehen, legte den Kopf leicht schief und sagte:

– Wußtest du, daß in Grönland die Mütter ihre pubertierenden Söhne abends masturbieren, damit diese besser einschlafen können?

Ich schüttelte den Kopf. Ich konnte es auch nicht glauben, aber ich sah schon das Iglu, in dem eine Kerze brannte.

– Wußtest du, daß es bei den Sambia in Neuguinea Männerhäuser gab, wo man mit sieben Jahren hinkam und die Jüngeren den Samen der Älteren tranken, damit sie zum Mann heranwuchsen? Wenn sie älter wurden, ließen sie sich selber einen blasen. Das ging so lange, bis sie alt genug waren, um zu heiraten und das Männerhaus zu verlassen.

Ich schüttelte wieder den Kopf. Woher hatte sie all diese Informationen? Das gehörte nicht ins Land der Mythen, das sagte ihr doch kaum etwas darüber, wie man sich in der Welt zurechtfand.

– Wußtest du, daß es auf einigen der Ozeanischen Inseln

noch in den Sechzigern Gruppeneinweisungen gab, da keine Junggesellenhäuser mehr zur Verfügung standen? Eine erfahrene Frau, deren Mann gerade nicht da war, führte eine ganze Reihe von Pubertierenden in die körperliche Liebe ein. Wußtest du, daß es Dörfer gibt, wo es der Brauch verlangt, daß die nahen Verwandten hinter einem Vorhang stehend der Hochzeitsnacht beiwohnen? Wußtest du, daß es in Peru Dörfer gibt, in denen die Frauen zur Hochzeit Yams in Form eines Penis schnitzen müssen? Das soll zeigen, wie geschickt sie sind, was für gute Köchinnen und Ehefrauen. Damit sie richtig gut werden, fangen die Mädchen im Alter von fünf Jahren an, das Schnitzen zu üben.

Die Wahrheit, fügte sie hinzu, als ich sie skeptisch ansah.

Natürlich wurde ich geil von diesen Vorstellungen, ich spürte Leben zwischen Bauchnabel und Anus, Energie, die sich ansammelte. Mir fiel aus irgendeinem Grund diese Geschichte ein, die ich mal gelesen hatte.

Da wurde der Mann zum Sexsklaven der Frau. Er wird gezwungen, die Gäste seiner Frau in der von ihr gewünschten Weise zu unterhalten. In der Hochzeitsnacht muß er zum Vergnügen der Brautjungfern vor ihnen onanieren, während sie ihm Klapse auf den Hintern geben und kichern. Dann befiehlt seine Frau ihm, ihre Möse zu lecken, um sie auf den Mann vorzubereiten, der sie vor den Augen der Anwesenden ficken wird. Auch später darf er nicht mit ihr schlafen, muß sie aber mit seiner Zunge und seinen Händen bedienen, wann immer sie es gebietet und wo immer sie es möchte.

Am liebsten hätte ich jetzt unter Orianas T-Shirt gefaßt und ihre Brüste berührt. Sie nahm meine Hand und legte sie mit der Handfläche nach oben auf die Lehne und fuhr mit ihrem Nagel darüber. Ich betrachtete ihre langen Finger, die zarten Gelenke, ihre Hände waren klein, besonders im Vergleich zu ihren Füßen. Als ich ihr das gesagt hatte, hatte sie gelacht und gemeint: Sie mögen klein sein, aber sie funktionieren.

Ich hatte ihr nicht erzählt, wie sehr es mich erregte, mir ihre Hände anzusehen, doch sie hatte es schnell herausgefunden. Wenn ich ihre Hände betrachtete, mußte ich immer daran denken, wie und wo sie mich damit berührte, wie sie sich anfühlten. Sie sahen so unschuldig aus, so verspielt. Wenn wir irgendwo saßen und ich zu lange auf ihre Hände sah, versteckte sie sie unter dem Tisch, um mich zu necken.

Oriana streichelte mich, ich sah aus dem Fenster raus aufs Meer, und mir fiel eine andere Busfahrt ein. In Jamaica von Mandeville nach Savanna-la-Mar, in einem Kleinbus, in dem ich der einzige Weiße war. Hinter mir saßen eng zusammengepfercht drei junge Frauen, und irgendwann spürte ich einen Fingernagel an meinem Nacken. Ich tat so, als hätte ich nichts gemerkt. Kurz darauf fühlte ich die Finger, ganz leicht zuerst, doch als ich wieder nicht reagierte, wurden sie mutiger, kraulten meinen Nacken, fuhren mir durch die Haare, wanderten unter mein T-Shirt. Ich wurde kurz nervös, weil ich dachte, die Hand suche einen Weg zu meinem Geld. Doch das steckte sicher in der Gesäßtasche, und so entspannte ich mich wieder und genoß den Rest der Fahrt die Hand, die mich überall streichelte, wo sie hinkam.

Ich drehte mich kein einziges Mal um, und als wir schließlich in Savanna-la-Mar hielten, standen alle sofort auf, und ich wußte nicht, welche der drei Frauen hinter mir mich die ganze Zeit über gestreichelt hatte. Keine zeigte eine Reaktion, als ich ihnen in die Augen sah, und ich hoffte vergeblich, daß eine mich ansprechen würde, um das Spiel fortzusetzten. Alle drei hatten es eilig, fortzukommen. Eine war sehr jung, eine fand ich unattraktiv, und eine hatte viel zu lange künstliche Fingernägel, die konnte es kaum gewesen sein.

Ich hatte keine Erklärung dafür, was da passiert war, aber es fällt mir manchmal ein, wenn ich an Sinnlichkeit denke. Eine Fremde, die einen langsam und einfühlsam streichelt, ohne etwas zu wollen, das darüber hinausgeht. Diese Begierde zu berühren, samtene Stoffe, weiche Haut, glatte Steine, seidige Haare. Wie fühlt sich das an.

Sinnlichkeit, ich dachte daran, wie Oriana und ich uns zum ersten Mal getroffen hatten. Noch am selben Tag, an dem ich sie am Flughafen angesprochen hatte, rief ich sie an. Wir verabredeten uns für den nächsten Tag in einem Café in der Stadt, in der sie wohnte. Ich fuhr eine Stunde mit dem Zug, folgte dann ihrer Wegbeschreibung. Unterwegs wurde ich nervös, ich fürchtete, ich könne sie nicht wiedererkennen. Die Haare, die Zähne, die geschwungenen Brauen, die dunklen Augen, die einzelnen Teile waren noch in meinem Gedächtnis, aber ich dachte bei nahezu jeder Frau, die ich erblickte: Das könnte sie sein.

Wir kamen aus entgegengesetzten Richtungen gleichzeitig zum Café, erkannten uns von weitem und lächelten, so einfach, ohne Zweifel. Sie hatte eine weite schwarze Hose an, ein langärmliges schwarzes T-Shirt, trug die Haare offen und war ungeschminkt. Vor dem Eingang gaben wir uns etwas unsicher die Hand, sagten Hallo und sahen uns in die Augen. Ich hielt ihr die Tür auf, und wir gingen rein. Es war ein bedeckter, schwüler Tag.

Es kann passieren, daß man sich in so einer Situation sehr schnell gegenseitig vertraut und anfängt zu reden, von seiner Vergangenheit, von seinem Leben, von seinen Wünschen, Hoffnungen und Ängsten, daß man sofort voneinander fasziniert ist, ohne es darauf anzulegen. Wenn das Café schließt, ist man erstaunt, wie schnell die Zeit verflogen ist, wie leicht man sich fühlt und wie sehr man sich wünscht, daß das alles nie aufhört. Man hat das Gefühl, am Anfang einer herrlichen Sache zu stehen, es ist, als würde die Seele andocken. Man bewundert die Persönlichkeit des anderen und wundert sich, wie er von Sekunde zu Sekunde schöner wird. Kein Hunger, keine Müdigkeit, keine Sorgen auf den Schwingen des kleinen Schmetterlings.

So war es nicht. Oriana erzählte, warum sie gestern am Flughafen gewesen war, ich erzählte von dem Freund, den ich abgeholt hatte. Als unsere Tees kamen, schwiegen wir schon.

Es war kein peinliches Schweigen, ein wenig unsicher, aber kein Schweigen, das einen verzagen läßt. Eher eine Art geduldiges Warten, als würde man im Kino sitzen und hätte das Happy-End schon erraten. Es nagte noch Nervosität an mir, ich rührte in meinem Tee, ohne daß ich Zucker reingetan hatte. Dann verschwand der Lärm für ein, zwei Sekunden, wir sahen uns an, ich beugte mich rüber und küßte sie auf die Lippen. Mein Herz bumperte, doch das war das Abenteuer und nicht die Ungewißheit. Sie erwiderte meinen Kuß.

Wir lehnten uns zurück, tranken langsam unseren Tee, redeten über das Wetter der letzten Tage, und als die Gläser leer waren, fragte ich:

– Wohnst du weit von hier?

– Nein, sagte sie.

Ich zahlte und wir gingen.

Als sie die Tür aufschloß, mußte ich lachen, ich stand da, beugte mich zurück und lachte, lachte einfach. Oriana drehte sich um und sah mich fragend an.

– Ich freue mich nur, sagte ich.

Ihre Bewegungen wurden unsicher, sie ließ den Schlüssel fallen und bückte sich umständlich und ungelenk, um ihn aufzuheben. Ich konnte das verstehen, man will nicht das Gefühl haben, daß man ausgelacht wird, ich konnte das verstehen, vielleicht war ich ja jemand, der auf Eroberungen aus war.

Die Bilder an den Wänden, die Möbel, die Schmuckstücke, nahm ich nicht bewußt wahr, aber es war eine gemütliche Wohnung mit viel Grün und Rot und warmen Brauntönen, ich fühlte mich wohl. Im Schlafzimmer stand ein großes Bett mit einer honigfarbenen Tagesdecke darüber. Wir setzten uns auf dieses Bett, nahmen uns an den Händen und küßten uns. Oriana wirkte noch nicht wieder entspannt, und das machte es mir in diesem Moment leichter, völlig gelöst zu sein.

Als im Café die Abendkarte wahrscheinlich schon nicht mehr auf den Tischen lag, lösten wir uns voneinander. Wir hatten geschmust und gekost, ich wußte nun, wie Oriana roch, hinter den Ohren, am Hals, ich wußte, wie sich ihre Unterarme anfühlten, ihre Hände, in welchem Rhythmus sie atmete, wie die Falten um ihre Augen aussahen, welches Geräusch ihre Augenbrauen machten, wenn ich darüberstrich. Wir lagen angezogen auf dem Bett, und ich sagte: Oriana. Ich sprach ihren Namen in das Halbdunkel des Zimmers, und sie sagte: Mesut. Es hörte sich schön an, zum ersten Mal war das Knirschen aus ihrer Stimme verschwunden, und sie sprach meinen Namen aus, wie ich es sonst fast nur von meinen Verwandten gehört hatte. Ein kurzes, helles e, ein stimmloses s, Betonung auf der zweiten Silbe. Genauso wie ich mich ihr vorgestellt hatte. Mir kam es vor, als hätte ich das nicht mehr gehört seit dem Unfall.

Nachdem wir einige Minuten still nebeneinander gelegen hatten, sagte Oriana:

– Laß uns was essen, ich habe Hunger.

Sie zog die Strümpfe aus, ich sah auf ihre nackten Füße, sie hatte den Lack entfernt. Wir gingen zusammen in die Küche, ich hatte auch Hunger.

– Magst du Biryani? fragte sie, ich hab noch Huhn und Reis.

– Gerne. Machen wir Biryani.

Sie drückte mir eine elektrische Kaffeemühle in die Hand und deutete auf das Bord mit einer langen Reihe kleiner Gläser mit Gewürzen. Während sie die Hühnchenbrust schnitt, gab sie mir Anweisungen, was in die Mühle zu tun sei.

– Zwei Teelöffel Koriandersamen, ein Teelöffel schwarze Pfefferkörner, zwei Gewürznelken, drei grüne Kardamomkapseln, ein halber Teelöffel Senfsamen, eine kleine Stange Zimt, eine Prise Salz, ein Stück Ingwerwurzel aus dem Kühlschrank, eine grüne Chilischote, drei Zehen Knoblauch.

Ich mahlte alles zu einer feinen Paste. In meinem Leben hatte ich genug Pflanzen und Samen konsumiert, die berauschten, anregten, betäubten, stimulierten, tonisierten, kräftigten, um zu wissen, daß hier Zutaten versammelt waren, denen fast allen eine erotisierende Wirkung zugeschrieben wurde, Gewürze, die zum Laster der Unkeuschheit führten. Mir gefiel der Gedanke, daß diese Frau das auch wußte.

Sie hatte die Ärmel ihres T-Shirts hochgeschoben und öffnete gerade eine Dose Kokosmilch. Wenig später dampfte es aus den Töpfen, ich saß am Tisch, Oriana kippte das Fenster an, wischte sich den Schweiß von der Stirn, hob den Saum ihres T-Shirts, schlug ihn schnell auf und ab und fächelte sich Luft zu. Ich konnte ihren weichen, runden Bauch sehen, den länglichen Nabel, der aussah, als hätte dort eine Kakaobohne Platz, als würde sie dorthin gehören und wäre nur kurz außer Haus. Um diese Behausung herum wölbte sich leicht der Bauch. Ich stellte mir vor, daß dort noch kurze helle Härchen wären.

Sie steht da und fächelt sich Luft zu, und ich sitze am Küchentisch. Es ist, als sei das ein kurzer Moment aus einem ganzen Leben, das wir zusammen verbracht haben.

Der Augenblick, an den man sich später gerne erinnert, weil alles so selbstverständlich und einfach und wundervoll war wie ein Sonnenaufgang.

Während wir aßen, erzählte ich ihr die Geschichte, wie ich mal bei der Melonenernte mitarbeiten wollte. Wir kauten diese Aphrodisiaka, den duftenden Reis, das Huhn, das Oriana mit Zitronensaft beträufelt hatte, bevor sie es anbriet, und ich dachte zurück an diesen Sommer, in dem ich vierzehn gewesen sein muß.

Am Rande des Dorfes, in dem meine Großtante wohnte, waren einige junge Männer damit beschäftigt, Melonen zu ernten. Sie hatten eine Reihe gebildet und warfen sich die Wassermelonen zu. Der letzte, der hinten auf einem offenen Laster stand, fing sie geschickt auf und stapelte sie ordentlich. Alle hatten ihre Hemden ausgezogen und arbeiteten im Unterhemd. Man konnte die braungebrannten Arme bestaunen, sich über die schneeweißen Schultern wundern. Sie scherzten und schwitzten bei der Arbeit, und natürlich war da keiner, der nicht einen riesigen Bizeps hatte. Manche dieser Männer waren kaum älter als ich, hatten auch gerade mal einen Flaum auf der Oberlippe.

Ich schlich mich davon, machte mir mein T-Shirt und meine Hose dreckig, um glaubwürdiger zu wirken. Dann ging ich zu einem der Männer und fragte, ob ich helfen dürfe.

– Hey, hört mal her, der Kleine will uns helfen, rief er laut. Alle lachten schallend, und ich lief weg. Später habe ich mir oft überlegt, ob sie mir meine Bitte gewährt hätten, wenn ich kräftigere Arme gehabt hätte oder ärmlich gekleidet gewesen wäre. Aber ihre Ablehnung war wohl eher darin zu suchen, daß ich keiner von ihnen war. Einer von ihnen wäre nie auf so eine Idee gekommen.

Ich sah auf Orianas Brüste, ihre kleine Hand, die die Gabel hielt. Ich begehrte diese Frau, aber da war noch etwas. Ich wollte sie haben, spüren, zusammen mit ihr nach Gewürzen duften, nach heilenden Salben, nach Schweiß und zartem Seim, ich wollte trunken mit ihr werden wie vom Wein, dem die Priesterinnen geheime Kräuter beigemischt haben. Mir war, als könnten wir zusammen eine andere Welt betreten. Und ich wußte, daß ich das schon zu oft geträumt hatte.

– Warst du als Kind glücklich? fragte sie, nachdem ich die Geschichte erzählt hatte.

– Wenn ich den Bach hinter dem Garten meines Opas gestaut hatte und dann dort saß, inmitten von Vogelgezwitscher, Blätterrauschen und dem Duft der Wiese, und Lehmburgen gebaut und geträumt habe, dann ging es mir gut.

Sie nickte, als würde das etwas erklären.

– Ich war immer glücklich, wenn ich mit meiner Schwester Besuchen gespielt habe. Auf einer riesigen Wiese, wo das Gras im Sommer hüfthoch wurde. Wir trampelten das Gras platt, und diese Flächen waren dann unsere Häuser. Flur, Wohnzimmer, Küche. Wir besuchten uns und tranken Tee. Wenn eine von uns auf die Toilette mußte, ging sie ins Badezimmer, ließ die Hosen runter und hockte sich hin. Manchmal verliefen wir uns und fanden ein Haus nicht wieder. Dann bauten wir einfach ein neues. Wir waren reich.

– Das waren wir wahrscheinlich alle. Ich war Gott und bestimmte über das Leben in der Lehmburg. Es tat mir immer leid, die Menschen allein lassen zu müssen, wenn ich zum Essen mußte. Manchmal war auch diese lehmige Erde Gott. Zumindest hatte sie ein Bewußtsein, und es gefiel ihr, wenn ich sie streichelte und formte.

Unsere Teller waren leer. Plötzlich hatte ich Angst. Ich wußte nicht, woher das kam, auf einmal war sie da. Ich hatte Angst. Ich wußte nicht mal wovor. Alles, was ich fühlte, war ein kalter, zitternder Klumpen, der nicht wußte, ob in den Bauch oder in die Kehle. Alles verkrampfte sich, am liebsten wäre ich unsichtbar geworden. Mir fielen keine Worte ein, das Schweigen bedrückte mich, mein Kreislauf sackte zusammen. Aber das lag vielleicht nur am Wetter. Ich hatte Angst.

Oriana stand auf, setzte sich auf meinen Schoß und fing an mich zu küssen. Es dauerte, es dauerte lange, aber meine Angst schrumpfte, löste sich auf, verschwand. Ich schaffte es, zu vergessen, wohin unser Treiben führen würde, wie das Finale dieser Kosungen aussehen würde.

Es dauerte, aber ich vergaß mich, wie es manchmal heißt. Aber was da vergessen wird, sind meistens die Hemmungen, die Handlung hat noch ein Ziel. Wir trudelten gemächlich dahin wie ein Ballon, der den lauen Winden ausgesetzt ist. Stück für Stück entblätterten wir uns, ich hielt inne, um ihre Brüste in Ruhe zu betrachten oder den Schimmer der Härchen auf ihrem Rücken, eine Handbreit über dem Po. Mal hörten wir auf, uns zu bewegen, hielten uns umschlossen, sogen die Luft durch die Nase. Mal streichelte ich ihre Zehen, mal zog sie sich auf mich und bedeutete mir, ganz still zu liegen, mal lag ich kurz zwischen ihren Schenkeln, mal ließ ich mir Zeit, ihr Becken unter meinen Händen zu spüren, sie strich mir über die Brauen, bettete ihre Wange auf meinem Hintern. Ab und zu besuchte die Scham uns, aber sie blieb nie lange. Wir trudelten so dahin, keine Gier, keine überbordende Leidenschaft, allmählich blieben auch die Besuche aus, alles geschah in dem Tempo einer Sonnenuhr. Als ich schließlich in sie eindrang, rollte der Donner und wehte der Wind.

Oriana führte ihre Hand zwischen die Beine, während wir auf der Seite lagen, und irgendwann sagte sie: Gleich. Ich hielt inne, sah die Fältchen um ihre Augen, die leichte Furche auf der Stirn, das Grübchen über ihrem linken Mundwinkel, die zusammengezogenen Augenbrauen, den geöffneten Mund, die Zähne, diesen Ausdruck in ihrem Gesicht, bevor alles ausgelöscht wird, was existiert. Dann kam auch ich.

Wir atmeten im selben Rhythmus, klebten aneinander, ich hatte die Augen geschlossen. Irgendwann stand Oriana auf und legte eine Kassette ein. Sie stand mit dem Rükken zu mir, und ich bewunderte ihren Hintern. Noch bevor sie sich umdrehen konnte, erkannte ich Bim Shermans Stimme. Oriana legte sich neben mich auf den Rücken, den Kopf an meiner Schulter. Ich sah an die Decke, wo genau über dem Bett ein indisches oder tibetisches Thanka hing, das einen Mann im Lotussitz zeigte, auf dessen Schoß eine Frau Platz genommen hatte, die Beine hinter seinem Rükken verschränkt. Die beiden schwebten. Warum hatte sie das dort hängen?

Ich ließ meinen Blick schweifen. In dem ganzen Zimmer gab es kaum harte Ecken und Kanten. Die Anlage war in einem niedrigen Regal, hinter einem Vorhang mit aztekisch wirkenden Mustern. Der Kleiderschrank hatte keine Türen, sondern auch einen Vorhang, einen aus einem schweren, grünen, matten Stoff. An der Wand stand eine alte Weichholzkommode, deren oberste Schublade nicht ganz geschlossen war, weil da ein vorwitziges, schwarzes Höschen hatte sehen wollen, was im Zimmer vor sich ging.

Ich schloß die Augen wieder und döste. Als ich zu mir kam, lief keine Musik mehr, es war dunkel im Zimmer, Oriana mußte aufgestanden sein und das Licht gelöscht haben. Sie lag auf der Seite und hatte mir den Rücken zugewandt. Ich schmiegte meinen Schoß an ihren Hintern, umfaßte sie, ließ meine Hand auf ihrem Busen ruhen. Wir schlafen nebeneinander ein. Ich murmele ihren Namen, küsse sie auf den Nacken.

Nicht nur die Durstigen suchen das Wasser, auch das Wasser sucht die Durstigen.

Die Sonne ging schon unter, als wir in dem Nudistendorf ankamen. Es dauerte über eine Stunde, bis wir ein billiges

Zimmer fanden, die Preise lagen weit über dem Durchschnitt. Wir wurden schließlich am Ende einer Sackgasse fündig, ein kleines Hotel mit fünfzehn Zimmern, Duschen und Toiletten auf dem Gang. Wir aßen eine Kleinigkeit, schlenderten ein wenig durch die Straßen und kehrten dann aufs Zimmer zurück, wir waren müde.

Die Geräusche, ein Hundebellen oder Türenquietschen, Grillenzirpen, Schritte auf dem Gang, Froschquaken, hallten in meinem Körper nach und schienen auf eine unheilvolle Art bedeutungsschwanger, so weit war ich schon in den Schlaf hinübergeglitten, als ein Stöhnen aus dem Nachbarzimmer mich zurückholte.

Oriana lag auf dem Bauch und atmete langsam und gleichmäßig. Nach ein paar Minuten hörte ich aus dem anderen Nachbarzimmer ebenfalls lautes Stöhnen. Die Wände waren sehr dünn hier. Und dann, als sei das ein Konzert, hörte ich noch mehr lustvolle Laute, anscheinend von einem der Zimmer auf der anderen Seite des Korridors. Ich lag da, lauschte, hörte manchmal Worte in einer Sprache, die ich nicht verstand, sie konnten alles mögliche heißen. Ja, machs mir. Blas mir den Schwanz schön hart. Ich bin ganz weit offen für dich. Ich will sehen, wie du spritzt. Ja, ganz langsam. O nein, mir kommts schon. Du zerquetschst meinen Hintern. Deine Ringe schneiden ins Fleisch. Nicht mit den Zähnen. Nimm den Finger da raus. Und dann glaubte ich eine Frauenstimme zu hören, die sagte: Hadi, bizde sikişelim. Oriana drehte sich zu mir und fragte: Möchtest du?

In dieser Nacht bumste das ganze Hotel.

II

Annie Sprinkle sagt:
Die Schwulen denken, daß jeder ein bißchen schwul ist,
die Bisexuellen denken, daß alle eigentlich bisexuell sind,
Perverse denken, daß sie die wirklich Befreiten sind und
daß alle anderen eigentlich pervers sein wollen, und die
Monogamen denken: Menschen können nicht glücklich
sein, wenn sie nicht monogam sind – es geht nicht ohne
Monogamie. Alle versuchen, die anderen an sich anzu-
passen.

8

Die Vögel zwitscherten schon, als ich wach wurde, weil ich pinkeln mußte. Ich stand auf und ging raus auf den Gang. Ich hörte die Spülung, und als ich wenige Schritte von der Toilette entfernt war, ging die Tür auf und eine Frau in einem schwarzglänzenden Nachthemd kam heraus. Ich lächelte sie an, ihre Gesichtszüge verkrampften sich, sie drückte sich an der Wand entlang zu ihrem Zimmer, darauf bedacht, Abstand zu mir zu wahren und mich nicht mehr anzusehen. Ich fragte mich, ob sie auch vor ein paar Stunden Sex gehabt hatte.

Es war schon seltsam. Das hier war ein Nudistendorf, und wir hatten uns im Schutz unserer Zimmer gegenseitig aufgegeilt und heißgemacht, andere an unserem Vergnügen teilhaben lassen, aber wenn man nachts nackt auf die Toilette ging, schien das nicht in Ordnung zu sein.

So ähnlich wie mit der Selbstbefriedigung, dachte ich, bevor ich wieder einschlief. Die Menschen redeten über alle möglichen Sexpraktiken, oral, anal, SM, Natursekt, Sprühsahne auf dem Schwanz, ich brauchs zweimal täglich, Dessous, Dildos, Hart- und Weichmacher und haste nicht gesehen. Nichts passierte mehr im stillen Kämmerlein, wir wollten alles sehen und über alles reden, das Heilige verschwand, wie Oriana gesagt hatte, aber auch das Lächerliche und das Tragische, es blieb die bloße Bewegung der Hüften. Über die Länge des Aktes und die Anzahl der Orgasmen konnte man offen sprechen, nur bei Onanie verstummten dann fast alle. Das ging niemand etwas an, daß man keinen Sexualpartner hatte und alleine auf dem Bett lag und wichste. Es gab noch Tabus. Es gab noch Sachen, die zu intim waren.

Als ich mit Oriana später beim Frühstück saß, schienen sich die meisten der Ereignisse der letzten Nacht zu schämen, als hätten sie sich im Trunk zu etwas hinreißen lassen, das fast so peinlich war, wie dem Gastgeber heimlich in die Blumenvase zu kotzen und am nächsten Morgen mit Entsetzen festzustellen, daß man das verschmierte Taschentuch mit seinem Monogramm darauf daneben vergessen hatte.

Man vermied Blickkontakte, da war nur ein Paar, das den Eindruck erweckte, als seien sie frisch und munter und gut gelaunt aufgewacht. Eine junge Frau mit roten Haaren und grünen Augen, blasser, sommersprossiger Haut, die mit einem Schwarzen mit Glatze zusammensaß, der uns zuzwinkerte.

– Laß uns nach Oktay suchen, bevor wir an den Strand gehen, schlug ich vor und goß mir noch eine Tasse von diesem Zeug ein, das sie uns als Kaffee servierten.

Es war kein großer Ort, es gab zwei Apotheken, einige Lebensmittelläden, vielleicht dreißig, vierzig Restaurants und Cafés. Auf den Straßen waren viele Menschen, die in Badelatschen und mit der Tasche über der Schulter einkaufen gingen. Sonst nichts am Leib. Ich fühlte mich nackt stets sehr wohl, aber das fand ich genauso übertrieben, wie mit einem Bier in der Hand splitterfasernackt vor einem Café unter einem Sonnenschirm zu sitzen und die Passanten zu betrachten. Es lag nicht das geringste bißchen Sex in der Luft, die Phantasie war ganz augeschaltet, und dicken nackten Menschen beim Essen zuzusehen rief nur Ekel in mir hervor. Ich hatte nicht das Gefühl, daß Oktay hier war, ich konnte mir nicht vorstellen, daß es ihm gefiel.

– Fragen wir zuerst den Friseur, sagte Oriana, womöglich irgendeiner Intuition folgend, und wir betraten den Laden, in dem ein schlanker, alter Mann mit pechschwarzen Haaren, einer dunklen Leinenhose und einem weißen Kittel gerade eine Zigarette rauchte.

Ein Lächeln erhellte sein Gesicht, als er Oriana sah, und ich überließ es ihr, zu erklären, was wir wollten. Ich war erstaunt, wie lebhaft sie Oktay beschreiben konnte, obwohl sie ihn noch nie gesehen hatte. Der Friseur erzählte uns, was ich schon geahnt hatte. Ja, so ein Mann sei noch vor etwa drei Wochen hier gewesen. Jeden Tag habe er sich in diesem Laden rasieren lassen. Er habe als Kellner gearbeitet und sich sehr schnell beliebt gemacht, doch als er anfing, seine üppigen Trinkgelder einzustecken und nicht mit den Kollegen zu teilen, wie üblich, hatte er gehen müssen, erzählte der Barbier.

– Wissen Sie, wohin er wollte? fragte ich, ein wenig mutlos, weil ich nicht mehr daran glaubte, daß ich ihn wiedersehen würde.

Der Mann nannte uns den Namen einer Stadt, dort habe ihm ein reicher Urlauber namens Myrie eine Stelle als Gärtner angeboten. Wir bedankten uns, verließen den Laden und schlenderten langsam Richtung Strand.

– Du bist klasse, sagte ich, ich sollte es dir überlassen, zu suchen. Meinst du wir werden ihn finden?

– Ich weiß nicht, sagte Oriana, ich wünsche es dir. Ich könnte noch mal die Karten fragen.

Ich schüttelte den Kopf. Das wollte ich nicht. Langsam hatte ich das Gefühl, einem Gespenst nachzujagen.

– Warst du schon mal an einem FKK-Strand? fragte Oriana.

– Nein, und du?

– Ich auch nicht.

Es war kurz vor Mittag, die Sonne brannte uns auf den Schädel, der Schweiß lief mir die Achseln runter, ich fühlte mich schlapp, zu kaum einer Bewegung fähig. Oriana hatte ihre Haare unter eine Baseballkappe geschoben, ich hatte keine Mütze, und mein Kopf fühlte sich an, als sei darin nur zäher Honig mit einer brüchigen Zuckerkruste. Als wir endlich am Strand waren, überließ ich es Oriana, uns einen Platz zu suchen.

– Sieh mal, sagte sie, die beiden von heute morgen, sie winken uns. Die haben einen Sonnenschirm ergattert, wollen wir hin?

Wir grüßten, fragten, ob wir uns dazulegen könnten, und stellten dann unsere Tasche unter den Schirm und zogen uns aus.

Die Frau lag auf dem Bauch im Schatten, ihre Haut leuchtete, so weiß war sie. Der obere Teil ihres Rückens und ihre Arme waren übersät von Sommersprossen in der Farbe ihrer Haare. Auf dem Po und auf den Beinen hatte sie kaum welche. Der Mann lag in der Sonne, im Vergleich zu seinen großen runden Schultermuskeln waren die Arme geradezu dünn. Seine Haut glänzte vor Schweiß oder Sonnenöl.

Sie hieß Eileen, er Joshua, beide hatten genug von ihren Jobs in England gehabt, sie als Fahrlehrerin, er als Nachtportier in einem Hotel, hatten Geld gespart und reisten nun seit einem halben Jahr kreuz und quer durch die Welt. Das hier war die letzte Zwischenstation auf dem Weg nach Indien, wo sie in einem Ashram meditieren, spirituelle Energie sammeln und nach Erleuchtung streben wollten.

Wir waren Oriana und Mesut, zwei Menschen, die sich gerade mal zwei Wochen kannten, als sie für vierzehn Tage nach Kamaloka geflogen waren, weil der Flug so billig gewesen war. Oriana verdiente ihr Geld als Wahrsagerin, und ich wußte nicht so genau. Nachdem ich als Rapper gescheitert war, hatte ich keine Arbeit mehr gefunden, die mir Spaß gemacht hatte.

Oriana fing an von Oktay zu erzählen, aber die beiden wechselten schnell das Thema, fragten sie aus über ihren Beruf und ihre Fähigkeiten, über Schicksal und innere Bestimmung.

Joshua legte Oriana beim Reden immer wieder eine Hand auf die Schulter. Nicht anzüglich oder flirtend, eher geschmeidig und weich, fast ein wenig schwul. Es sah aus, als demonstriere er, wie sehr er Menschen mochte und wie wichtig und gleichzeitig selbstverständlich Körperkontakt für ihn war. Und genau das war mein Problem damit, es fehlte eine natürliche Beiläufigkeit, es sah nach einer Demonstration aus. Ich saß einfach nur zu weit weg, sonst hätte er mir wohl auch ständig seine große Hand auf den Unterarm oder die Schulter gelegt. Trotzdem war es ein schönes Bild, seine langen dünnen dunklen Finger auf Orianas gebräunter Haut, nahe an ihren vorspringenden Schlüsselbeinen und ein Stück weiter unten die hellen, schweren Brüste.

Eileen setzte sich auf und verschränkte die Beine zum Schneidersitz. Auch ihr Dekolleté war voller Sommersprossen, doch ihr Busen war weiß wie ihr Po. Nur eine kleine Straße rötlicher Flecken zog sich durch die Spalte zwischen ihren Brüsten. Es sah ein wenig so aus, als seien es Sandkörner in einer Sanduhr. Ich bemerkte auch die kleinen Büschel kupferfarbener Haare unter ihren Armen und stellte mir vor, sie würde dort ein wenig nach Jasmin riechen. Als sie Minuten später die Beine an die Brust zog und mich zwei winzige weiße Wangen mit einem schmalen Strich dazwischen anlächelten, fand ich die Achselbehaarung noch erregender. Noch ein-, zweimal sah ich möglichst unauffällig zwischen ihre Beine, aber da bestand kein Zweifel, sie war glatt rasiert, kein Hauch von Stoppeln, und ihre Schamlippen waren kaum länger als Orianas kleiner Finger. Ich warf einen kurzen Blick auf Joshuas Schwanz.

Es entstanden viel zu schnell viel zu viele Bilder in meinem Kopf. Ich stand auf, entschuldigte mich und ging ans Wasser. Eine Frau kam mir entgegen, sie hatte eine Taucherbrille mit Schnorchel an, Schwimmflossen und sonst nichts. Ich sah ihr zu, wie sie die Flossen auszog.

Dann stand ich da, blickte aufs Meer und konzentrierte mich darauf, wie jede Welle ein wenig mehr Sand unter meinen Füßen wegspülte, wie ich immer tiefer einsank. Es war ein schönes Gefühl. Es erinnerte mich an Sex. Man verlor den Boden unter den Füßen.

Nach einer Weile setzte ich mich hin und baute kleine Sandtürme. Ich dachte an Oktay, was er wohl trieb, wie es ihm ging. Ob er an mich dachte, an unsere Eltern und seine Schwester. Warum er sich nie bei mir gemeldet hatte. Es war doch sonst niemand mehr da. Außer seinem Vater, und den hatte er noch nie gemocht. Ich auch nicht, und vor meinem hatte ich keinen Respekt gehabt, weil er kuschte vor meinem Onkel, weil er Angst hatte vor seinem älteren Bruder.

Joshua und Eileen, sie suchten Erleuchtung. Das hatte ich auch lange Zeit getan, Yoga, Drogen, Meditation, Bücher, Lehren, ich hatte die Weisheit gesucht, die ewige Ekstase, die absolute Leere, Freiheit, Freiheit von Schmerz und Leid und Freiheit von dem Gedanken, frei sein zu wollen. Doch du wirst nicht erwachen, indem du Schriften liest, in denen steht, daß du schläfst. Du kannst dich nicht nach Freud oder Reich oder Ramakrishna oder Buddha verstehen.

Es schien mir falsch, nach Erlösung zu dürsten, das war auch nur ein Geist, dem man nachjagte. Was gab es überhaupt zu erlösen? Und wenn man erlöst war, wovon denn überhaupt? Stellten die sich vor, daß man aus diesem Leben erwachen konnte, wie aus einem schlechten Traum?

Das heilige Kraut hatte mir dabei geholfen, irgendwann

aufzugeben. Es ging nicht um Erlösung, es ging um Halt, Verbundenheit und Kontinuität.

Ich sah raus aufs Meer. Wenn das nicht schön war, was dann? Die leichte Brise gerade, der Salzgeruch, das Plätschern. Wenn das nicht schön war, was dann? Diese Türme, die ich gebaut hatte und die mich an vollgetropfte Flaschenhälse erinnerten, in die man schon seit langer Zeit Kerzen steckte. Die waren mir gut gelungen, die waren schön. So müßte man leben, als Fischer in warmen Meeren, mit einer Hütte und einem kleinen Boot. Man würde das Netz auswerfen in die Schatzgründe der See, die Götter würden die Rätsel aufgeben, in unerhörter Fülle, verborgen unter roten Riffen, in den Meeresgärten und kristallenen Gründen. Keins würde man lösen und trotzdem glücklich sein.

Ich ging schwimmen.

Als ich zurückkam, beendete Oriana gerade die Geschichte von der Verbrennung des gelben Buches und sagte, daß sie auch nicht den Schleier hatte lüften können, den ihr die Götter auf die Augen gelegt hatten. Die beiden schienen enttäuscht, wollten sich aber unbedingt die Karten legen lassen.

Ich saß nun in Reichweite von Joshuas Hand, er legte sie auf mein Knie und bat mich mit seiner weichen, wohltönenden Stimme zu erzählen, wieso ich als Rapper gescheitert war. Eileen lag jetzt auf der Seite, den Kopf in die Armbeuge gebettet, immer noch im Schatten, und ich sah erneut zwischen ihre Schenkel. Ich hatte nicht geträumt. Eine kleine, nackte Möse. Mein Blick wanderte zu Eileens Füßen, das war unverfänglich. Ihre Nägel waren in einem matten Aprikosenton lackiert, der gut zu ihren Haaren paßte.

– Ich hatte jemand, der mir ein paar Beats auf seinem Computer gebastelt hat, fing ich an, sicher nichts Weltbewegendes, aber warme Bässe, guter Groove. Darauf habe ich gerappt. Nächtelang habe ich Texte geschrieben, wenn ich müde wurde, mir die Augen feste gerieben und davon geträumt, Schecks zu kriegen und Sex und Beck's und Parties, daß die Fetzen fliegen, doch ich bin leider nur ein Knecht geblieben, der den Klang der Worte liebt und sich freut, daß es Hanfimporte gibt.

Ich sprach normal weiter.

– Wir hatten ein Demo, fünf echt gute Tracks, aber wir haben keinen Vertrag bekommen. Ich fand mich gut, und jeder Hanspeter hatte ein Album draußen, manche konnten sogar rappen, hatten aber nix zu sagen. Ich rauch mehr Gras als du, ich freestyle und rappe besser, alle anderen sind whack mc's und ich habs echt drauf und zieh mich für keine Frau aus. 16 Tracks, jedesmal der gleiche Text: mein Schwanz ist länger als deiner. Ich habe nie zur Szene gehört, ich war nie auf einer Jam, ich hab mich nie für Graffiti oder Breakdance interessiert, für die Klamotten und das dogmatische Gehabe. Ich hatte aber Geschichten, ich dachte, die Menschen wollen auch mal Balladen hören, Erzählungen in Reimform, aber es gab nur Absagen. Irgendwann hatte ich einfach keine Lust mehr.

– Ein guter Kämpfer ist der, der immer wieder aufsteht, sagte Joshua und lächelte milde.

Diese sanfte Art gefiel mir nicht.

– Ich bin kein Kämpfer, das Leben ist doch kein Krieg, den man gewinnen muß. Solange ich Lust hatte, habe ich mich bemüht, und danach mochte ich nicht mehr.

Er biß sich auf die Unterlippe und schien nachzudenken. Ich war mir nicht sicher, ob ich ihn mochte, ob dieses Weiche und Verständnisvolle nicht ein wenig aufgesetzt war. Doch wir kannten uns kaum und hatten uns nicht damit aufgehalten, Gefälligkeiten auszutauschen. Erzähl mir was aus deinem Leben, vergessen wir das Geplänkel, was bewegt dich, was berührt dich, mit welchen Augen siehst du die Welt. Laß uns etwas teilen. Das gefiel mir. Aber mir behagten Sätze nicht wie: Ich habe herausgefunden, daß ich den Weg der Stille gehen muß.

Oriana stand auf, um die Flasche Wasser aus der Tasche zu nehmen, Sand klebte an ihrem Hintern. Ihre Bikinistreifen hatten an diesem Strand der nahtlosen Bräune etwas Obszönes. Als seien ihr Hintern, ihr Busen und ihre Scham bloßgestellt, bloßer, als die Nacktheit erlaubte. Ein heller Blickfang, das Gefühl, daß hier etwas preisgegeben wurde, das noch vor kurzem ein Geheimnis gewesen war.

Als wir alle langsam Hunger bekamen, entschlossen wir uns, gemeinsam ins Hotel zu gehen und uns später zum Essen zu treffen. Eileen band sich ein großes geblümtes Tuch um und schlüpfte in ihre Badelatschen, Joshua nahm den Rucksack in die Hand, er schien barfuß hierhergekommen zu sein. Ich überlegte, ob ich auch nackt zum Hotel laufen wollte, aber ich hätte mich unwohl gefühlt. Oriana zog sich ihren Rock über.

– Und wie findest du die beiden? fragte ich, als wir in unserem Zimmer waren.

– Ihn mag ich sehr gerne, an ihr stört mich irgend etwas.

– Sie war doch eher still, sie hat wenig gesagt.

– Du warst auch still, als würdest du erst mal die Lage sondieren wollen.

– Ich bin schüchtern, sagte ich leichthin, es war die Wahrheit, aber das glaubte mir kaum jemand.

Oriana schüttelte den Kopf, dann machte sie kurz die Augen zu und schien sich zu konzentrieren.

– Nein, sagte sie, irgend etwas an Eileen gefällt mir nicht.

Als ich aus der Dusche kam, saß Oriana immer noch nur mit diesem Rock bekleidet auf dem Bett, das Radio lief, When the music's over, die Doors. Während ich in meiner

Tasche nach einer Shorts wühlte, stellte sich Oriana hinter mich, hielt mir ihren Zeigefinger unter die Nase und sagte:

– Riech mal.

Das war der schönste Geruch auf der Welt. Ich sog die Luft ein, und als ich wieder ausatmete, hatte ich schon einen Halbsteifen. Einen von denen, die sich so gut anfühlen, daß man sich kaum bemüht, ihn noch härter zu kriegen. Oriana nahm meinen Schwanz in ihre Linke, zwischen Daumen und Zeigefinger, und bewegte die Haut leicht auf und ab. Ihre Rechte war immer noch unter meiner Nase. Ich lehnte mich zurück und spürte ihre Brüste an meinem Rücken. Sie bewegte ihre Hand etwas schneller.

Ich kannte das Stück nicht gut genug, aber ich wollte mit ihr schlafen, bevor Jim Morrison aufhörte zu singen. Da ließ sie auch schon los, kniete sich auf den Boden und schlug ihren Rock hoch. Ich schob ihn langsam rein. Als ich ganz drin war, fing ich an zu stoßen, ohne ihn weit herauszuziehen. Ich griff um ihre Hüfte und fand die Stelle, an der sie gerade ihre eigenen Finger gehabt haben mußte, das Juwel in der Krone. Mit dem letzten Ton des Stückes kam es ihr. Als nächstes spielten sie Fine and mellow von Billie Holiday. Ich ließ meinen Schwanz drin und wartete, daß er schrumpfte und von alleine rausglitt.

Wir standen auf, umarmten uns, und Oriana sagte leise:

– Das war ganz grün. Völlig, da gab es nichts mehr.

Bis zum nächsten Song standen wir eng umschlungen da. Als wir uns von einander gelöst hatten, fragte sie mich:

– Welche Farbe hat eigentlich deiner?

Es war noch kein Körnchen Sand in ihrer Stimme.

– Meiner?

– Dein Höhepunkt.

Normalerweise sah ich keine Farben beim Orgasmus, aber ich wußte, was sie meinte. Ich hatte so etwas auf Drogen gehabt.

– Es ist, als würde sich ein Rot über mir wölben wie Rippen.

Joshua hatte einen grünen Slip an und darüber ein rotes Hemd, das nicht zugeknöpft war, Eileen trug ein Wickelkleid mit Sonnenblumenmuster, Oriana und ich waren in kurzen Hosen und T-Shirts, sie hatte wieder ihre Baseballkappe auf. Die Sonne neigte sich, es war etwas kühler geworden, als wir zum Restaurant schlenderten, Joshua sang: Sun is shining, weather is sweet here, make you wanna move your dancing feet now, to the rescue, here I am.

Zuerst verstand ich nicht, was mich daran irritierte, doch als es mir klar wurde, schloß ich die Augen und konzentrierte mich auf seine Stimme. Er hörte sich genauso an wie Bob Marley. Es gab Elvis-Imitatoren, sogar einige richtig gute, aber ich hatte noch nie jemanden singen hören wie Bob Marley. Ich blieb stehen und sah Joshua an, der immer noch sang. Die anderen blieben auch stehen, die Frauen guckten zuerst zu mir, dann zu Joshua, der verstummte, grinste und die Handflächen nach oben kehrte, als wolle er sagen: Ich kann nichts dafür.

– Hast du das gehört? fragte ich Oriana, und sie nickte nur, als sei das nichts Außergewöhnliches.

– Er hört sich genauso an wie Bob Marley.

Oriana runzelte die Stirn und krauste die Nase.

– Mach noch mal, bat ich Joshua, und er fing an: Emancipate yourselfes from mental slavery, none but ourselves can free our minds …

– Stimmt, sagte Oriana unbeeindruckt.

– Robert Nesta Marley, sagte Joshua mit Stolz in der Stimme, und dann gingen wir weiter.

Es war draußen schon länger dunkel, wir saßen in Eileens und Joshuas Zimmer, das aussah, als würden sie seit Wochen dort wohnen und von Ordnung nichts halten. Ich lehnte an der Fensterbank, während die anderen auf dem Bett saßen, wo Oriana gerade Eileen die Karten legte.

– Ich sage es nicht gern, aber dir steht eine harte Zeit voller Sorgen und körperlicher Leiden bevor. Da ist eine Versuchung, der du erliegen könntest, mit dem Ergebnis, daß du von da an sehr wankelmütig wirst. Hier sehe ich einen größeren finanziellen Gewinn, aber diesem Höhepunkt folgt ein Abstieg.

– Werde ich in Indien Erleuchtung finden? fragte Eileen.

– Die Karten sagen, daß deine Unternehmungen ins Stocken geraten.

Eileen blickte auf die Karten vor ihr, dann zu Oriana. Sie wirkte kühl, unberührt, als hätte sie tief in sich die Gewißheit, daß Oriana sich irrte und die wahre Erkenntnis endlich zum Greifen nahe war.

Danach war Joshua dran, der unbedingt auf dem Boden sitzen wollte, sich erden, während Oriana ihm wahrsagte. Er schob ein wenig Dreckwäsche beiseite, um sich Platz zu schaffen, und setzte sich dann mit ausgesuchter Konzentration und Sorgfalt im halben Lotussitz nieder, die Beine verschränkt, den linken Fuß untergeschlagen und den anderen auf dem linken Oberschenkel abgelegt, so daß die rosa Sohle nach oben zeigte, der Rücken kerzengerade. Gut, er konnte singen wie Bob Marley, aber jetzt war es so, als würde er versuchen John Holmes mit der Größe seines Schwanzes zu beeindrucken. Zwischen seinen Knien und dem Teppich waren mehr als zwei Handbreit Platz. Ich widerstand der eitlen Versuchung, mich im vollen Lotus niederzulassen. Oriana setzte sich ihm gegenüber, den Rücken ans Bett gelehnt, und begann.

– Du hast einen Weg zurückgelegt, um dich von Bindungen zu befreien. Du hast viele Angebote, Einladungen und Herausforderungen angenommen, aber jetzt kommt für dich eine Zeit, in der du lieber in Ruhe deine Erfahrungen betrachten und Lehren daraus ziehen solltest. Deine angestrebten Ziele wirst du im Moment nicht erreichen, das Begonnene ist erstarrt und wird nicht vollendet. Du wirst bald eine schlechte Nachricht erhalten. Jemand, dem du vertraust, wird dich hintergehen. Deine finanzielle Lage wird sich zum Schlechten wenden, doch diese Krise wirst du mit Leichtigkeit überwinden.

– Werden Eileen und ich zusammen bleiben?

– Hier ist noch eine Person, die zwischen euch steht. Man kann nicht sagen, wie weit ihr Einfluß reicht.

– Ein anderer Mann? fragte Joshua.

– Ja.

Er nickte wissend. Es war ein oder zwei Minuten ganz still im Zimmer. Ich hatte nicht vor, mir jemals wieder in die Zukunft schauen zu lassen, weder von Oriana noch von sonstwem. Was wollte man eigentlich. Man erhoffte sich ein wenig Sicherheit, das Gefühl, daß die Last einem von den Schultern genommen wurde, daß man nicht ganz alleine verantwortlich war, für das, was passierte, und daß alles in diesem Leben aus einem bestimmten Grund geschah, daß es einen Plan gab, alles einen Sinn hatte, das Leiden, das Unbehagen, die Trübsal, die Plagen, der Tod. Man wollte hören, daß das Schicksal Bescheid wußte und gütig war. Aber nicht, was man noch ungefragt dazubekam. Niemand interessierte sich für das Trinkgeld vom Schicksal.

Und welche Last trug ich denn? Ich hatte eine Hütte im Lande Sex, ich hatte kaum Sorgen, wir wurden jeden Tag satt, wir tranken Wein, wir waren niemandem etwas schuldig, wir waren nicht geknechtet, es herrschte kein Krieg, wir waren unversehrt. Was konnte man mehr haben? Es war gleichgültig, ob Oriana und ich die Tage ausfüllten oder ob wir sie leer ließen wie einen hohlen Kürbis. Die

Zeit gehörte gerade uns, und wir konnten mit ihr anfangen, was immer wir wollten.

Oktay, und da war ich mir mit einemmal sicher, Oktay würde ich eines schönen Tages wiedersehen, eine heitere Gewißheit erfüllte mich. Ich würde finden, was ich suchte.

Oriana fragte, ob die beiden sie bezahlen könnten, wie viel oder wie wenig auch immer sie geben mochten. Joshua stand auf, kramte einen Schein hervor und sagte: Für uns beide.

Wir blieben noch eine Weile und plauderten, bis Eileen anfing immer öfter zu gähnen. Als wir schließlich wieder auf unserem Zimmer waren, fragte ich Oriana:

– Warum hast du Geld genommen? Wir haben uns doch mit ihnen angefreundet, oder?

– Das ist mein Beruf, sagte sie, ich mache das professionell, das ist kein Geschenk an die Menschheit. Hättest du den beiden Gras geschenkt, wenn du sie vor drei, vier Jahren irgendwo kennengelernt hättest?

– Okay, sagte ich, du hast recht. Ich hätte ihnen kein Gras geschenkt.

Sie streifte ihre Sandalen ab und setzte sich auf die Bettkante. Ich sah auf ihre Füße. Oriana merkte es, ich wandte meinen Blick nicht ab. Sie streckte die Beine aus, ließ sie wieder sinken und spreizte kurz die Zehen, so daß sie sich nicht mehr berührten.

– Möchtest du ein wenig auf ihnen reiten? fragte Oriana vorsichtig und leise.

Ich nickte, ging unsicher einen Schritt auf sie zu. Ja, das wollte ich. Doch ich fühlte mich verletzlich und klein. Das konnte man lächerlich finden. Pervers. Erniedrigend. Unmännlich. Würdelos. Albern. Ekelhaft.

– Komm, setz dich auf meine Füße. Ja, so.

Ich wippte ein wenig auf und ab. Oriana zog einen Fuß unter mir hervor und legte ihn genau in meinen Schritt.

– Zieh die Hose aus, ich will sehen, ob er schon hart ist, flüsterte sie.

Ich zog mich aus und setzte mich mit gespreizten Beinen vor sie auf den Boden. Mein Schwanz war klein und weich. Sie stupste ihn mit ihrem großen Zeh. Ich sah mir ihre schlanken Füße an mit den langen, zarten Zehen, die kleinen Polster an den Enden, die mich ein wenig an Köpfe erinnerten. Die Köpfe kleiner Eskimokinder, die friedlich nebeneinander im Bett liegen, die Decke bis ans Kinn gezogen.

Als mein Schwanz sich aufrichtete, trat sie von unten leicht mit dem Spann dagegen, so daß er auf und ab wippte. Schließlich nahm sie ihn zwischen die Fußballen und fing an zu wichsen. Ich keuchte, konnte meinen Blick nicht abwenden, schön, schön, schön, stieß ich immer wieder hervor.

– Du stehst darauf, wenn ich dir mit den Füßen einen runterhole, ja? fragte sie, und ich bekam eine Gänsehaut.

Sie klemmt meinen Schwanz zwischen den Spann des einen Fußes und die Sohle des anderen, sie versucht ihn zwischen den dicken Zeh und den daneben zu klemmen, sie greift ein Stück von meinem Sack, ich sitze vor ihr auf dem Boden. Oriana drückt den Schwanz mit ihrer Fußsohle gegen Mesuts Bauch und fährt mit ihrem Fuß auf und ab.

Ich will es sehen, sagt Oriana, und das Rot wölbt sich über Mesut wie Rippen.

9

– Ich habe von Joshua und Eileen geträumt, sagte Oriana. Wir lagen noch im Bett, und ich lächelte, weil auch ich von den beiden geträumt hatte.

– Wir waren in ihrem Zimmer, fuhr sie fort, und Joshua hatte einen riesigen Steifen. Er war so groß, daß ich Angst vor ihm hatte. Er ist damit zu Eileen gegangen, und ich glaubte nicht, daß sie ihn würde aufnehmen können. Gleichzeitig habe ich sie beneidet, weil sie ganz ausgefüllt sein würde von diesem übertrieben großen Glied. Das sah mehr nach dem Phallus einer Statue oder einer Comicfigur aus und nicht wie etwas Menschliches. Er hat ihn reingesteckt, und wir haben zugesehen. Die beiden waren ganz still, die haben keinen Laut von sich gegeben. Dann hat Joshua zu dir gesagt: Ich zeige dir mal, wie man in den Arsch fickt. Und er hat Eileen umgedreht, sie hat ihn gebeten, es nicht zu tun, sie hat mit ihrem Po hin und her gewackelt, um sich seinem Zugriff zu entwinden, aber er hat ihr befohlen stillzuhalten und hat sein Glied mit Spucke naß gemacht und langsam zwischen ihre Backen gezwängt. Dann bin ich aufgewacht. Ich hatte Angst.

Ich strich behutsam mit meinen Fingern über ihren Rücken, um zu sehen, mit welchen Zeichen sie mir antworten würde.

Wenig später war mein Kopf zwischen ihren Schenkeln, und unsere Lippen umschlossen ein warmes, duftendes Dunkel.

Wir lagen auf dem Rücken, Orianas Atem hatte sich wieder beruhigt.

– Ich habe auch von den beiden geträumt, sagte ich. Eileen und ich saßen am Strand, sie sagte: Joshua zieht durch fremde Länder, denn er versucht zu erfahren, was bei den Menschen gut und böse ist. Er denkt daran, in der Frühe den Herrn zu suchen, der ihn geschaffen hat, und betet vor dem Höchsten. Er richtet sein Wollen und Wissen darauf, die Geheimnisse des Herrn zu verstehen. Er ist keusch, und ich bin voll brünstiger Gier, ich verzehre mich vor Verlangen. Ich sündige jede Nacht. Jeden Abend, wenn er eingeschlafen ist, treibe ich Unzucht an mir. Manchmal warte ich nicht, bis er schläft, um ihn zu reizen, auf daß er die Herrschaft verliere und überwältigt werde.

– Und dann?

– Dann hat sie mir gezeigt, wie sie Unzucht mit sich treibt. Dabei bin ich aufgewacht.

– Findest du sie schön?

– Ja.

– Begehrst du sie?

– Nein. Wende deinen Blick von schönen Frauen, heißt es, schau nicht nach Reizen, die dich nichts angehen, denn schöne Frauen haben schon viele betört, und Leidenschaft hat sie wie Feuer verzehrt.

Ich wartete, aber nichts geschah. Auch ich hatte einen Traum gehabt, der mich erregt hatte, wieso ergriff sie nicht die Gelegenheit, also meinen harten Schwanz, und befriedigte mich? War sie eifersüchtig? Ich hätte doch genausoviel Grund dazu gehabt wie sie. Ich stand auf und kratzte, dehnte und streckte mich, demonstrierte meine Erektion, doch Oriana ignorierte sie.

Als wir zum Frühstück runtergingen, sagte ich mir: Gib dich nicht der Verstimmung und dem Unbehagen hin, plage dich nicht mit deinen eigenen Gedanken. Doch es nutzte nichts.

– Drink in der linken Hand, Joint in der rechten, Leute wie ich lassen sich nicht knechten, wir machen morgens schon Party, sagen den Sorgen ade, die Hände am Buffet, die Nase tief im Schnee und spätestens mittags den Schwanz in der Möse.

Das erheiterte gerade weder mich noch Oriana.

Eileen und Joshua saßen schon am Frühstückstisch, und Joshua sang leise vor sich hin: Though the road is rocky, sure feels good to me, and if I'm lucky, together we'll always be. Er strahlte wieder. Nachdem wir uns gesetzt hatten, fragte Eileen, ob wir etwas dagegen hätten, wenn sie mitkämen in die Stadt. Ihr Flug nach Indien ging in zehn Tagen, und sie hatten keine Lust mehr, in diesem Nudistendorf zu bleiben.

– Ja, klar, sagte ich, kein Problem, leistet uns ein wenig Gesellschaft. Im ersten Augenblick freute ich mich, doch dann merkte ich, daß Oriana überhaupt nicht begeistert war von dieser Aussicht, obwohl sie sich doch gestern am Strand gut amüsiert hatte mit den beiden.

Als wir unsere Sachen packten, sagte sie:

– Mit dieser Frau stimmt etwas nicht. Ich bin nicht eifersüchtig, es gefällt mir nur nicht, wie du dich von ihrer Schönheit blenden läßt. Sie ist falsch.

Ach so, aber Joshua ist richtig, hätte ich am liebsten gesagt, Joshua mit seinem großen Schwanz, seiner verständnisvollen Art, seiner Ausgeglichenheit, seinem Streben nach Erleuchtung und seinem kleinlichen, arroganten Mitleid mit den Menschen, die den falschen Pfad eingeschlagen haben. Joshua mit seiner klagenden und doch liebevollen Stimme ist richtig. Und Eileen, die ein wenig zurückhaltend ist, ist falsch.

Aber ich zählte nur meine Atemzüge, eins, zwei, drei,

vier, fünf, ein, ganz langsam wieder aus, ein, ganz langsam wieder aus, acht, neun, wieder zehn Atemzüge näher am Tod.

– Wir können uns jederzeit von ihnen trennen, ist doch kein Problem.

Oriana schüttelte den Kopf.

– Darum geht es nicht. Wir können auch den Rest unseres Urlaubs mit ihnen verbringen, Mesut, mir gefällt es einfach nicht, wie du dich einwickeln läßt.

– Wer wickelt mich ein?

– Würdest du versuchen, sie glücklich zu machen? Vergiß mal den Sex. Bist du an ihrem Glück interessiert, nur weil sie so gut aussieht?

– Willst du sagen, sie ist es nicht wert, daß man an ihrem Wohlergehen interessiert ist?

– Sie ist habgierig. Hast du gesehen, wie sie geguckt hat, als Joshua mir den Schein gegeben hat? Als würde man ein Stück aus ihrem Herz rausreißen. Und das, nachdem du die beiden in deiner Großzügigkeit zum Essen eingeladen hast. Und warum mußte sie schlecht über ihren ehemaligen Chef reden und ihn verwünschen? Es hat sie niemand gezwungen, fünf Jahre dort zu arbeiten. Um Geld zu sparen, um was von der Welt zu sehen und im Einklang mit der Natur zu leben. Fahrlehrerin. Mesut. Da stimmt doch was nicht, oder?

– Wir haben doch alle Fehler oder etwa nicht? Ich verstehe nicht, was du hast.

Wir redeten kein Wort mehr miteinander, bis wir im Bus saßen. Sie war eifersüchtig, so sehr sie das auch leugnete. Außerdem war sie ja selber auch geizig. Möglicherweise hatte sie recht, und ich ließ mich blenden, aber sie hatte doch gesehen, wie erregt ich gewesen war. Wieso hatte sie das ignoriert? Sie hätte mich wenigstens auf später vertrösten können. Es war das erste Mal, daß sie aus irgendeinem

Grund keine Lust gehabt hatte, und es ärgerte mich. Am meisten ärgerte mich, daß ich nicht darüber lachen konnte, obwohl ich wußte, wie eitel und albern es war.

Was hätte Oktay an meiner Stelle getan? Machte er Scherze, bis die Frau sich vor Lachen bog, um sie dann zu verführen? Er nahm das Leben nicht ernst, aber was machte er, wenn sein Schwanz emporstand?

Ich dachte wieder an Borell. Früher hatte ich immer werden wollen wie er. War er vielleicht jeden Tag zu den Frauen im Holzhaus gegangen, weil Sex ihn einfach zu verletzlich machte? Weil es das einzige Gebiet war, auf dem er nicht souverän und ruhig und entspannt und geheimnisvoll sein konnte? Borell, war ich auch nur annähernd so wie er, überlebensgroß und trotzdem hier zu Hause?

Ich hätte gerne was geraucht vom Harz der Weisheit, um mich abzulenken. War es nicht Salomo gewesen, der gesagt hatte, daß eine gute Frau ihre Lenden mit Kraft gürtet?

Oriana blickte aus dem Fenster, sie schien nicht mehr sonderlich verstimmt zu sein. Zwei kleine Falten nach oben, zwei kleine Falten nach unten, und jetzt krauste sie kurz die Nase, als sei ihr etwas Unangenehmes eingefallen.

Unruhig rutschte ich auf meinem Sitz hin und her. Eileen und Joshua saßen ein paar Reihen vor uns, es waren keine Plätze hintereinander frei gewesen. Ich zog meine Tasche aus dem Gepäcknetz, fand das Buch, schlug es aufs Geratewohl auf und versank in dieser fremden Welt. Machte mich wichtig.

– Kannst du das lesen? fragte Oriana nach ein paar Minuten.

Ich schüttelte den Kopf.

– Was machst du dann?

– Ich sehe mir die Zeichen an und versuche mir vorzustellen, was sie heißen könnten. Manche kommen ganz oft vor, wie dieses hier, das aussieht wie eine bauchige, gekippte 6, manche sehen richtig kompliziert aus, als würden sie alleine eine ganze Geschichte erzählen können. Ich habe früher oft hierin geblättert, wenn ich dicht war. Manchmal war es ein Abenteuerbuch, manchmal ein erotischer Roman oder die Lebensgeschichte eines Mystikers, manchmal ein Buch von Borell, manchmal war es ein heiliges Buch. Es kann alles sein, das hier ist das Buch der Bücher.

– Wo hast du es her?

– Aus einem japanischen Lebensmittelladen. Da lagen Taschenbücher vorne an der Kasse, und ich hab mir einfach eins gekauft.

– Und was ist es gerade jetzt für ein Buch?

– Ein sehr sadistisches, wo ein kleiner Japaner, der sich dauernd verbeugt, seinen sexuellen Gewaltphantasien freien Lauf gelassen hat.

– Ach ja?

Ich nickte.

– Erzählst du mir, was darin passiert?

– Als Osogi zehn Jahre alt ist, hat er eine Lehrerin, die ihn regelmäßig nachsitzen läßt. Jedesmal muß er seine Hosen und Unterhosen runterlassen, sich über einen Stuhl beugen, und sie schlägt ihn mit einem Rohrstock auf den nackten Hintern. Es tut ihm sehr weh, oft kann er tagelang nicht mehr sitzen, aber am schlimmsten ist, daß er sich erniedrigt und gedemütigt fühlt. Die ersten Male kann er seine Blase nicht kontrollieren und pinkelt auf den Stuhl, woraufhin ihn die Lehrerin noch fester schlägt und ihn zwingt, alles mit dem Tafelschwamm aufzuwischen. Doch nach einigen Behandlungen wird er sichtlich erregt von der Bestrafung. Die Lehrerin spottet über sein kleines, noch harmloses Glied.

Doch der Junge wird älter, seine Stimme bricht, sein Brustkorb wird breiter, sein Schwanz größer, er verläßt die Schule, traut sich aber nicht an Frauen heran.

Mit Mitte Zwanzig lauert er sechzehnjährigen Schulmädchen auf, verbindet ihnen die Augen, entführt sie in ein Lagerhaus, fesselt ihre Hände und schlägt sie ausgiebig mit dem Rohrstock auf den nackten Hintern. Die Mädchen haben Angst, manche machen sich naß, die meisten flehen ihn an aufzuhören, doch das regt ihn nur noch mehr auf. Er zwingt sie, seinen Schwanz zu lutschen, während er sie befingert. Manchmal werden die Schülerinnen feucht, ohne daß sie es wollen. Dann schiebt er ihnen einen Vibrator rein, und sie stehen da, die Hände auf dem Rücken gefesselt, nur noch das Oberteil ihrer Schuluniform an, mit einem vibrierenden Silikonschwanz in der Möse, hin- und hergerissen zwischen Geilheit, Angst und Erniedrigung. Wenn eine ihn anfleht, sie in Ruhe zu lassen, mit der Begründung, sie sei noch Jungfrau, dann muß sie sich über eine Kiste beugen, und er fickt sie in den Arsch. Manchmal läßt er eine ganze Gruppe von vierzehn, fünfzehnjährigen Jungen in sein Lagerhaus, die das Mädchen wieder und wieder masturbieren muß, bis alle nicht mehr können.

– Das ist Unsinn, sagte Oriana und zeigte mir kurz ihre Zähne. Dann fuhr sie fort:

– Die Geschichte geht anders. Du hast sie nicht richtig gelesen. Kennst du das Märchen von Prinz Hut unter der Erde? Nein? Es war einmal ein König, der drei wunderhübsche Töchter hatte. Als er eines Tages zu einer Reise aufbrach, durfte sich jede Prinzessin etwas von ihm wünschen. Die Älteste wollte eine Schmuckschatulle aus reinem Gold mit eingearbeiteten Diamanten. Die Zweite wünschte sich eine ganze Kutsche voller Kleider aus den feinsten, schillerndsten und kostbarsten Stoffen des Orients. Die Jüngste, die die Lieblingstochter des Königs war, eine liebliche, zarte Frau voller Herzensgüte, wünschte sich bloß die drei spielenden Blätter, die Wonne und Glückseligkeit schenken sollten.

Nachdem der König seine Geschäfte erledigt hatte und auf dem Weg zurück in sein Schloß war, wollte er den Zweig mit den drei spielenden Blättern abbrechen, doch da ertönte eine Stimme aus der Erde: Als Gegengabe für die drei spielenden Blätter verlange ich das erste lebende Geschöpf, das dir bei deiner Heimkehr begegnet. Da dem König sehr viel an dem Glück seiner jüngsten Tochter gelegen war, willigte er ein. Doch während er den Hügel zu dem Schloß hochstieg, kam ihm schon die jüngste Prinzessin entgegengelaufen, die es nicht mehr hatte erwarten können, ihren Vater wiederzusehen.

So war der König gezwungen, seine Tochter, die sich wehrte, weinte und barmte, dem Untier, Prinz Hut unter der Erde, auszuliefern. Sein Herz ward ihm schwer, doch er sah keinen Ausweg, er hatte sein Wort gegeben. Er brachte seine Tochter, die ihn anflehte, sie zu verschonen, an den Eingang der Höhle des Untiers.

Er sprach in den dunkle Eingang hinein:

– Hier habe ich das erste lebende Geschöpf, das mir bei meiner Heimkehr begegnet ist. Es ist meine eigene Tochter, meine Lieblingstocher. Ich bitte dich inständig, hab Erbarmen mit ihr. Sie zittert schon wie Espenlaub. Nimm mich an ihrer Statt.

Das Untier zeigte sich nicht, sondern sprach aus der Dunkelheit:

– Ich werde auf keinen Handel eingehen. Vereinbart war das erste lebende Geschöpf, das dir bei deiner Rückkehr begegnet, und ich nehme an, daß man sich auf das Wort eines Königs verlassen kann.

Seine Stimme war tief und voll, als sei er drei Meter groß.

– Ich würde, setzte der König noch mal an, doch Prinz Hut unterbrach ihn:

– Nichts Geringeres als deine Tochter.

Der König ließ sie mit Tränen in den Augen zurück, die

Beine wurden ihm schwer, er konnte kaum einen Fuß vor den anderen setzen. Die Prinzessin versuchte zu lächeln, um dem Vater den Abschied zu erleichtern. Als sie ihn nicht mehr sehen konnte, ging die Königstochter schweren Herzens in die Höhle, die einen herben, fast unangenehmen Geruch verbreitete. Sie hatte Angst. Prinz Hut kam auf sie zu und faßte sie bei der Hand. Die Prinzessin erschrak. Es war so dunkel, daß man die Finger vor den Augen nicht sehen konnte. Fürchte dich nicht, sagte das Untier.

Prinz Hut brachte die junge Prinzessin dazu, ihre Tugenden zu vergessen. Im Bauch der Erde erlebte sie nun jene Wonne und Glückseligkeit, die sie sich von den drei spielenden Blättern erhofft hatte.

– Ach, ja, sagte ich, die steht etwas weiter hinten im Buch. Ich mußte grinsen. Ich mußte grinsen, weil ich es eben nicht gekonnt hatte. Zuerst schien Oriana sauer zu werden, doch dann wurde ihr Blick weit und weich. Ich strich ihr mit dem Zeigefinger über die Falten um die Augen.

– Du bist wunderschön.

– Du machst mich glücklich, sagte sie, und nach einer Pause: Es ist sehr schön, dich zu spüren wie einen Wolkengott.

Meine Augen wurden glasig, etwas breitete sich in meinem Körper aus, stellte alle meine Haare auf. Oriana legte mir einen Finger in die Mulde zwischen den Schlüsselbeinen. Das war mehr, als ich mir heute morgen gewünscht hatte.

Vor Jahren hatte ich diesen Traum. Es ist ein sonniger Morgen, sie sind gerade aufgewacht, es ist still, eine summende Stille. Die Vögel zwitschern nicht, der Wind rauscht nicht in den Blättern, der Kühlschrank brummt nicht, die Bett-

decke raschelt nicht, der Atem ist kaum hörbar. Es ist still.
Er sagt: Hörst du, wie ich dich liebe?

Die Schatten waren schon lang, als wir aus dem Bus ausstiegen. Das schien keine besonders große Stadt zu sein,
zumindest hatte sie keinen richtigen Busbahnhof. Wir
standen auf einem großen, unbefestigten Platz, ein paar
Händler priesen ihre Waren auf Holzwagen an, Menschen
warteten und Busse hielten, Leute stiegen ein und aus, und
die Busse fuhren weiter, ohne daß einsichtig gewesen wäre,
welches Ziel sie hätten.

Sobald wir den Platz verlassen hatten, legte Joshua seinen Rucksack ab und stellte ihn auf die Erde. Dann blickte
er sich erst mal in Ruhe um. Das gefiel mir. Eileen sprach
einen Passanten an, ich verstand fast nichts, meinte aber
ein Hotel rauszuhören.

– Er sagt, es gäbe zwei billige Unterkünfte, das eine ist ein
Häuschen, das man mieten kann, mit Küche und allem, und
das andere ein ganz normales Hotel, erklärte Eileen uns.

– Du kannst diese Sprache? fragte ich.

– Ja, sagte sie, ich habs hier gelernt. Ich hab ein Talent
dafür, es fällt mir leicht. Wenn ich zwei Wochen irgendwo
bin, kann ich mich meistens schon ein wenig unterhalten.
Es ist sehr wichtig, die Sprache zu können, wenn man die
Mentalität verstehen will. Die Sprache ist ja der Spiegel der
Seele.

Es wunderte mich, daß jemand, der eher zurückhaltend
wirkte, so schnell Sprachen zu lernen schien.

– Nehmen wir das Häuschen, sagte Joshua, das hört sich
besser an als ein anonymes Hotelzimmer.

– Für uns lohnt sich das kaum, sagte Oriana, wir haben
insgesamt nur noch vier Tage.

Ich nickte zustimmend, wir entschieden uns gemeinsam
für das Hotel, Eileen hatte sich den Weg erklären lassen.

Die Luft war hier weicher als am Meer, die Bäume spendeten Schatten, viele der Holzhäuser hatten Vorgärten, und es schien kaum Touristen zu geben. Ab und zu drehten sich die Leute auf der Straße nach uns um.

An der Rezeption saß eine dicke alte Frau in einem speckigen Kittel, rauchte Zigarre und freute sich sehr über Eileens Sprachkenntnisse. Wir bekamen zwei nebeneinander gelegene Zimmer im ersten Stock.

Nach dem Abendessen fanden wir eine kleine Bar mit uralten Holzstühlen und Tischen, in die jeder schon seinen Namen, den seiner Geliebten, das Datum und sein Lebensmotto eingearbeitet hatte. Wir saßen in einer dunklen Ecke und tranken Wein, Eileen übersetzte uns die Sprüche auf der Tischplatte: Das Leben ist kein Heimspiel. Die Sonne hat den richtigen Abstand zu den Dingen. Rauschgift ist eine spirituelle Form des Glückspiels. Jede Suche nach Wahrheit ist Religion. Vagina – ein nettes Plätzchen, aber nicht zum Wohnen.

Das schienen ja seltsame Menschen zu sein, die vor uns hier gesessen hatten. Wir lachten, scherzten, wurden trunken. Völlig unvermittelt fragte Joshua:

– Wovor habt ihr Angst im Leben?

Als keiner etwas antwortete, sagte er:

– Es interessiert mich, es interessiert mich wirklich. Wir kennen uns kaum, und wir können auch so weiterreden wie bisher, aber ich würde es gerne wissen.

Oriana zuckte mit den Schultern, strich sich durchs Haar, stützte ihr Kinn in die Hand und sagte:

– Ich habe Angst, meine Familie zu verlieren, Angst, ohne Geld und Halt zu sein, Angst vor der Zukunft, Angst, daß meinen Schwestern etwas passiert, Angst … Ich mache mir viele Sorgen.

Joshua sah mich an.

– Erschöpfung und Einsamkeit.

– Ich habe Angst davor, mein Leben in dieser Dunkelheit zu verbringen, sagte Eileen.

Dazu fielen mir gleich zwei Sachen ein. Die behielt ich aber für mich.

Es war nicht so sehr die Dunkelheit der Nacht, die mich störte, sondern die abscheulichen Lichter, die der Mensch erfunden hatte, um diese Dunkelheit zu erhellen.

Und wenn wir dann guten Willens in den Büchern suchen, von denen es heißt, sie seien ein Licht in der Finsternis, so finden wir mit dem besten Willen der Welt nur ganz bitter wenig Sicheres, und nicht immer genug, um uns persönlich zu trösten.

Ich fand das albern, was wir hier gerade machten. Ja, man konnte darüber reden, aber doch nicht so, als sei man in einer Selbsthilfegruppe gelandet, wo alle ohne Hemmungen ihre Befindlichkeiten preisgaben und auf Befehl Nähe zuließen. So etwas mußte mit einer gewissen Beiläufigkeit und etwas Humor passieren. Humor war etwas, das ich auch bei vielen aus meinen Yogakursen vermißt hatte, gerade bei den Fortgeschrittenen, die oft sehr ehrgeizig und ernsthaft waren, Kontrollfreaks, die nun endlich mit bewundernswerter Selbstdisziplin die Erleuchtung erleben wollten. Innerlich verkrampfte Menschen, Dogmatiker, die einen befremdet ansahen, wenn man Witze über das Nirwana machte oder mit hanfroten Augen zum Unterricht erschien.

Joshua sagte nicht, wovor er Angst hatte. Nachdem er noch eine Karaffe bestellt hatte, kam das Gespräch etwas schleppend wieder in Gang, wir tranken, redeten, und als ich aufstand, um auf die Toilette zu gehen, merkte ich, daß ich stolz darauf war, nicht zu schwanken und die kleinen Stufen ohne Probleme nehmen zu können.

Als ich wieder saß, sah ich, daß Joshuas Hand unter dem Tisch zwischen Eileens Schenkeln ruhte. Er bemerkte meinen Blick, grinste mich an, und auch Eileen lächelte.

Oriana schien sehr betrunken zu sein. Sie hatte offensichtlich nichts mitbekommen.

Womöglich bildete ich es mir ein, aber ich glaubte, Eileens Geruch in der Nase zu haben, einen blumigen Duft, doch, ja, mit einem Hauch von Jasmin. Ich stellte mir vor, meine Nase an ihre Achsel zu halten. Joshua legte Oriana seine freie Hand auf den Oberschenkel, doch das hatte er schon oft getan, sie zeigte keine Reaktion. Vielleicht würde seine Hand jetzt ein wenig höher wandern. My sister is frigid.

– Du kannst mich nicht bumsen. Nur Mesut darf das. Vielleicht erlaube ich dir, an meiner Möse zu spielen und sie zu lecken, aber mehr wirst du nie kriegen.

Wir vier in einem halbdunklen Zimmer, ohne die Partner zu tauschen, nur die Geräusche, die klebrige Luft, ein Duft von Ingwerblüten, Zimt und Jasmin, das Schmatzen und Stöhnen, die Blicke auf die schattenhaften Gestalten, die die Positionen wechseln. Ich stellte es mir gerne vor. Aber ich wollte nicht mit Eileen und Joshua intim werden, ich hätte sie gerne als zwei Körper gehabt, doch ich wollte nicht mit ihnen morgen am Frühstückstisch sitzen und zwei Menschen vor mir haben, die aufgegeilt, befriedigt, verletzt, eifersüchtig, glücklich, gekränkt, gedemütigt, zerstritten oder erschöpft waren. Oder daß Oriana und ich etwas anderes fühlten als eine Ermattung nach vielen Orgasmen. Ich begehrte die beiden nicht, sondern nur ihre Körper. Gerne hätte ich Joshuas Schwanz im Mund gehabt, gerne hätte ich gesehen, wie Orianas Zunge durch Eileens Spalte fuhr, aber ich wäre nicht bereit gewesen, auch nur den geringsten Preis dafür zu zahlen. Es war mir nichts wert.

Joshuas Hand lag jetzt bewegungslos auf der Innenseite von Orianas Schenkeln, nur Zentimeter von ihrer Scham entfernt, und sie zeigte immer noch keine Reaktion. Sie sah aus, als würde sie es nicht merken.

Wir bestellten noch eine Karaffe. Eileen hatte sich zurückgelehnt und war mit dem Hintern an die Vorderkante ihres Stuhles gerutscht. Ein trunkenes Weib erregt Ärgernis, sie wird auch ihre Scham nicht bedeckt lassen. Oriana stand auf, kicherte auf eine Art, die ich an ihr nicht kannte, sagte, sie müsse für Königstiger, nach Toledo.

Als sie weg war, zog Joshua die Hand hervor, zeigte mir zwei naß glänzende Finger und fragte:

– Willst du auch mal?

Es lag wohl am Alkohol, meine Sinne waren verwirrt und betäubt, ich hatte die Heiterkeit des Rausches, ich mußte lachen, es erschien mir so albern, so sehr einer meiner schlechten Phantasien entsprungen, daß ich einfach losprustete. Willst du auch mal, als würde er mir einen Joint anbieten. Er saß da, wußte einige Sekunden nicht, was er tun sollte, Eileen schien beleidigt, und Joshua wischte sich schließlich die Finger an der Hose ab.

Es herrschte ein unangenehmes Schweigen, als Oriana zurückkam. Wir zahlten und wankten ins Hotel, unterwegs erzählte ich Witze. Wir lachten tatsächlich, sogar Oriana kriegte sich nicht mehr ein. Joshua sang aus vollem Halse: Cold ground was my bed last night and rock was my pillow, too. And we're still riding high. Das war schön.

Im Zimmer warf sich Oriana in ihren Klamotten bäuchlings auf das Bett und versank in ihrer Betäubung. Ich stand am offenen Fenster und lauschte auf Geräusche aus dem Nebenzimmer. Nichts. Kein Stöhnen, kein Geflüster, kein Quietschen. Es war kein Laut zu hören. Ich setzte mich auf die Fensterbank, ließ die Füße nach draußen baumeln. War die Luft so mild, oder war ich das.

Ich verschmolz mit dem Rausch. Der Mond vergoß – der Mond vergaß sein Licht, und ich vergaß mich selbst, als ich so saß nach dem Weine, die Vögel waren weit, das Leid war weit, und Menschen gab es keine.

10

Mein Mund war völlig trocken, meine Blase voll, doch ich wollte mich nicht bewegen, ich wollte ganz starr daliegen und wieder einschlafen. Ich atmete nur langsam, alles tat mir weh. Oder nein: Meine Hände und Füße waren noch schmerzfrei. Mein Nacken fühlte sich an, als habe ihn jemand ausgehöhlt und mit brodelndem, stinkendem Pech gefüllt. Mein Kopf war von der himmlischen Rache heimgesucht worden, eine finstere Ödnis, nur Pein und Entsetzen waren zurückgeblieben. Zu allem Überfluß schwitzte ich und stank. Ich tastete nach Oriana, auch sie schwitzte, das Kleid klebte ihr am Leib. Die Sonne scheint viel zu hell, stellte ich fest, als ich blinzelte.

Nachdem ich gepinkelt und Wasser aus der Leitung getrunken hatte, legte ich mich langsam wieder hin und verfiel in einen unruhigen Zustand, in dem ich nicht richtig schlief, aber auch nicht wach war. Gedanken schlingerten in meinem Kopf herum, und es war, als müßte ich die Fetzen nur richtig zusammensetzen, um die Erkenntnis zu erlangen, wie man in einen heilsamen Schlafe fallen konnte. Wein und Weib betören die Weisen. Als der Jasmin blühte und ich mich um Aspirin bemühte. Kein Wasser kann meinen Durst löschen. Der Teufel furzt mir in die Nase. Er will mich zu Lausbubereien und schlimmeren Dingen verleiten. Bambule. Hatte nicht Salomo siebenhundert Hauptfrauen und dreihundert Nebenfrauen. Liebte er nicht die Ausländerinnen. So prüft der Wein die Mutwilligen. Schließlich schlief ich doch ein.

Als ich wieder erwachte, schien es schon Mittag zu sein. Oriana lag nackt auf dem Bauch, ein Bein angezogen, es erinnerte mich an einen Flamingo. Mein Kopf schmerzte noch, doch mir kam ein Gedanke, der mich erheiterte. Joshua und Eileen ging es nicht anders. Das war keine Schadenfreude, die ich empfand, sondern eine Art Befriedigung festzustellen, daß zwei Menschen auf der Suche nach Erleuchtung und einer friedlichen Art zu leben, zwei Vegetarier, die von ahimsa, Gewaltlosigkeit, redeten und davon, sich von Begierden zu befreien, daß zwei solche Menschen sich auch ganz gehörig einen auf die Lampe gossen.

Die beiden schienen nicht zu den spät bekehrten Fanatikern zu gehören, für die ich sie zunächst gehalten hatte, trotz ihres Geredes von Ganzheitlichkeit, Liebe, Frieden, Meditation, innerem Selbst, reinem Bewußtsein, Samadhi und den sieben Stufen der Erkenntnis und den acht Pfeilern des Buddhismus. Das machte sie mir sympathischer, daß sie anscheinend keine Puristen waren.

Auf mich wirkte diese Disziplin der Glücksuchenden immer abschreckend. Im Reich der Seligkeit konnten keine Regeln herrschen. Regeln waren für Barbaren, technische Fertigkeiten für Troglodyten. Weg mit dem Yoga, dem Zen, dem Karma, der Wiedergeburt, der Psychologie, hinfort mit dem Geld, der Schüchternheit, den Sorgen, den Begierden, den Ängsten, den Leidenschaften. Das Glück mußte kommen mit einem Wind, der alles wegbläst. Essen, schlafen, Sex, mehr brauchte es nicht, essen, schlafen, Sex, voller Konzentration, ohne Ablenkung und mit ein wenig Humor. Mehr brauchte es nicht, aber wie sollte man dorthin gelangen? Nicht im Stehen einen Burger runterzuschlingen, nicht beim Sex an eine andere zu denken oder in Phantasien zu versinken, um die Erektion zu halten? Nicht von Alpträumen gequält zu werden? Nicht morgens aufzuwachen und festzustellen, daß man die ganze Nacht die Zähne aufeinandergebissen hatte?

Essen, schlafen, Sex, und zwar nicht in einer dieser Städte, wo keine Straßen für die Freude und den Tanz gebaut waren, daraus könnte Liebe entstehen, eine heilige Liebe, bar jeder Sorgen.

– Ich hab Durst, stöhnte Oriana, die Seide war aus ihrer Stimme verschwunden, da war nur noch Sand.

– Wie du dich anhörst.

– Wundert mich auch. Gestern abend hatte ich noch meine normale Stimme.

– Kopf?

– Hmmm.

– Weißt du noch, der Kerl im Paradiso, der sich mit den Caipirinhas auf die Fresse gelegt hat, diese Limetten in seinem Schoß und das dämliche Gesicht? Er sah aus wie ein Gummibärchen, das versucht einen Orgasmus vorzutäuschen.

Es funktionierte, Oriana mußte lachen. Lachen müssen, trotz Schmerzen, ob Kopf, Bauch oder Glieder, Tränen oder Trauer, was gab es Besseres.

Fast zwei Stunden später, nach einer Dusche und etlichen Gläsern frisch gepreßtem Grapefruitsaft von einem Stand an der Ecke, klopften wir an Eileens und Joshuas Tür. Wir erhielten keine Antwort.

– Glaubst du, sie schlafen noch? fragte Oriana.

– Vielleicht sind sie weg, sagte ich.

Die dicke Frau an der Rezeption, die in einer durchgeschwitzten Bluse dasaß und sich mit einem Taschentuch den Schweiß von der Stirn tupfte, wobei das Fett an ihren Oberarmen wackelte, sagte, die beiden hätten heute morgen gefrühstückt und dann das Hotel verlassen. Aber sie hatten nicht ausgecheckt, wenn ich sie richtig verstand.

– Sollen wir sie suchen gehen? fragte Oriana.

– Hättest du eigentlich gewollt?

– Was?

– Na was schon?

– Was denn?

– Partnertausch, Vierer, Bäumchen wechsel dich, Swingerparty, Gruppensex, nenn es, wie du willst.

– Du meinst wir und …

– Ja, genau.

– Wie kommst du darauf?

Sie sah wirklich unschuldig aus.

– Joshua hatte seine Finger doch fast schon in deiner Möse.

– Wie bitte? Du willst mich auf den Arm nehmen.

– Gestern abend in der Bar, er hatte seine Hand unter Eileens Rock und hat angefangen deinen Oberschenkel hochzuwandern, bis fast …

Ich suchte nach einer Reaktion in ihrem Gesicht. Ihre Erinnerung an den Abend schien schon vorher abzubrechen.

– Warum hast du nichts getan?

– Du bist aufgestanden und auf die Toilette gegangen. Dann hat er mir ein deutliches Angebot gemacht.

– Und?

– Ich mußte lachen.

Orianas Gesicht wurde dunkler.

– Oh, mein Gott. Warum hast du nicht vorher etwas gesagt? Und wir klopfen auch noch an ihre Tür. Nein, wie schrecklich, murmelte sie.

Sie sah ganz verloren aus.

– Warst du eifersüchtig? fragte sie.

– Nein.

Sie ließ sich alles haarklein erzählen, und ich konnte sehen, wie unangenehm ihr das war, auf ihrer Stirn bildeten sich Perlen, die nicht von der Hitze herrührten.

– Wie soll ich denen denn jetzt gegenübertreten?

Mich beschäftigte eher die Frage, wie Joshua und Eileen es geschafft hatten, so früh aufzustehen. Vorhin war mir der Zimmerschlüssel hingefallen, als ich ihn ins Schloß friemeln wollte. Beim Aufheben war mir fast der Schädel geplatzt. Wie hatten sie ein Frühstück runterbekommen?

– Laß uns schauen, ob wir diesen Myrie finden, sagte ich. Das bringt uns auf andere Gedanken.

Es gab nur einen einzigen Myrie im Telefonbuch, und nachdem wir in Erfahrung gebracht hatten, daß er ein ganzes Stück außerhalb wohnte, beschlossen wir, ein Taxi zu nehmen.

Ich war nicht sonderlich aufgeregt, ich hatte kein Gefühl für das, was uns erwartete. Meine Nerven lagen einfach nur blank, nachdem ich so lange betäubt gewesen war, fühlte ich mich nun reizbar und überempfindlich.

Der Fahrer hielt nach einer Viertelstunde vor einem großen, schmiedeeisernen Tor. Ein breiter, unbefestigter Weg führte zu einer riesigen, überdachten Veranda, die zu dem dreistöckigen weißen Haus gehörte. Ich klaubte Geld aus meiner Hosentasche, um unseren Chauffeur zu bezahlen. Der Wagen hatte kein Taxameter, und der Fahrer suchte sich einen großen Schein aus, strich damit über seinen Fünftagebart, bedankte sich, und ich hatte das Gefühl, übers Ohr gehauen worden zu sein.

Wenn Oktay hier tatsächlich Gärtner war, dann hatte er noch eine Menge zu tun, der Vorgarten war verwildert, es gab einen kleinen Teich voller Entengrütze, jede Menge Farn und Unkraut, etwas, auf das Oriana ganz begeistert zeigte und sagte: Sieh mal, Trollblumen. Einzig ein Rechteck aus kreisförmig geharktem grauem Kies schien gepflegt. In der Mitte war ein kleiner Hügel aufgeschichtet.

Der große Klopfer an der Tür hatte die Form eines Drachenkopfs und war lauter, als ich erwartet hatte. Man hörte schlurfende Schritte, dann öffnete uns ein hagerer alter Mann mit leicht eingefallenen Schultern und asiatischen Gesichtszügen, die in einem seltsamen Gegensatz zu seiner Körpergröße zu stehen schienen. Er mochte gut zwei Meter groß sein, hatte eine platte Nase, dünne Lippen, graue Augen, die mich an einen Mongolen erinnerten. Der grimmige Ausdruck in seinem Gesicht verschwand kurz, als er Oriana ansah. Noch bevor ich den Mund aufmachen konnte, entschuldigte sich Oriana für die Störung, stellte uns vor und erklärte, warum wir hier waren. Myrie hörte mit unbewegter Miene zu. Vielleicht kann er gar kein Englisch, dachte ich. Als Oriana geendet hatte, konnte ich immer noch keine Reaktion erkennen.

Wir standen uns gegenüber, die Sekunden tickten, er sah an uns runter, dann wieder rauf, mit einer arroganten Ruhe, die mich störte. Schließlich zog er die Tür weiter auf und bat uns herein. Er führte uns in ein Zimmer mit einem riesigen Holztisch und alten Stühlen mit hohen Lehnen. Nachdem er uns bedeutet hatte, an einem Ende des Tisches Platz zu nehmen, ging er zu einem Wägelchen, auf dem Kristallkaraffen mit verschiedenfarbenen Flüssigkeiten standen, schenkte sich einen Drink ein und setzte sich dann zu uns.

– Oktay ist nicht mehr hier, sagte er, er ist vor drei Tagen gefahren.

– Wissen Sie, wohin? fragte ich.

– Nein, sagte er, nein, ich weiß es nicht.

– Wie lange war er bei Ihnen? fragte Oriana.

– Fast vierzehn Tage.

So nah dran, dachte ich, wir sind so nah dran gewesen, das durfte nicht sein. Gleichzeitig konnte ich verstehen, daß Oktay keine Lust gehabt hatte, bei diesem unfreundlichen Herrn zu arbeiten.

– Was hat Oktay hier getan? wollte ich wissen.

– Nicht viel, sagte er, das Unkraut hinten im Garten

gejätet, den Rasen gemäht, das Beet umgegraben, den Kies geharkt. Ansonsten haben wir in der Sonne gesessen und Domino gespielt. Vor drei Tagen hat er sich seinen Lohn auszahlen lassen, hat seinen Rucksack genommen und ist gefahren. Er wollte wieder ans Meer.

– Und er hatte keine Andeutungen gemacht, wohin ans Meer?

Myrie schüttelte den Kopf und nahm einen Schluck aus seinem Glas.

– Du läufst ihm also hinterher, stellte er fest.

Ich fand ihn immer unsympathischer. Wie hatte Oktay sich wohl mit ihm verstanden? Vielleicht hätte ich versuchen sollen, ihn zum Lachen zu bringen.

Wir saßen still da, keiner sagte einen Ton, ich wünschte inständig, Oriana würde diesen Menschen zum Plaudern bringen, mir fiel nichts ein.

– Sollen wir eine Runde Domino spielen, schlug Oriana vor, als das Schweigen unangenehm wurde und ich mich immer noch nicht entschließen konnte zu gehen, obwohl hier nichts zu erfahren war.

– Ja, sagte Myrie gleichgültig, ja, spielen wir Domino.

Wir gingen in den Garten, der hinter dem Haus lag und sehr viel gepflegter aussah als der Vorgarten. An einem blau gestrichenen Holztisch spielten wir ein paar Runden Domino. Ich knallte, nachdem ich meine Hemmungen überwunden hatte, die Steine genauso fest auf den Tisch wie Myrie, ich wollte um jeden Preis gewinnen.

Ein Lächeln erschien auf Myries Gesicht, das erste, seit wir hier waren.

– Möchtest du etwas trinken? fragte er.

– Ja, sagte ich, ein Wasser wäre nicht schlecht.

– Dann frag nach Wasser, und versuch nicht, den Tisch entzweizuschlagen.

Er stand auf, Oriana und ich sahen uns an. Was ist das für

ein Kauz, fragte ich, und sie zog die Augenbrauen hoch. Myrie kam mit einer Karaffe Eiswasser und zwei Gläsern zurück.

– Mr. Myrie, mochten Sie Oktay gerne? fragte Oriana.

– Ja, sagte er, aber er brauchte mehr Gesellschaft, als ich ihm bieten konnte.

Oriana fing an zu erzählen, daß sie ihn noch nie gesehen hatte und was für Jobs er in letzter Zeit gehabt hatte, wie sehr ihr daran gelegen war, daß wir ihn fanden. Myrie saß wieder mit unbewegter Miene da. Oriana war eine gute Erzählerin, ich hörte ihr gerne zu, ich mochte den Klang ihrer Stimme und den Rhythmus ihrer Worte, aber ich bezweifelte, daß sie diesen Mann damit berühren konnte. Er machte zwar nicht den Eindruck, als wolle er uns schleunigst loswerden, aber er behandelte uns nicht im geringsten wie willkommene Gäste. Ein mürrischer Mann, der nicht weiß, was er von der Ablenkung halten soll, die ihm da ins Haus geweht ist.

Oriana erwähnte auch Joshua und Eileen, wie wir sie kennengelernt hatten, wohin sie wollten, was für Menschen sie zu sein schienen. Ein schwatzhaftes Weib ist für einen stillen Mann wie ein sandiger Weg bergauf für einen alten Mann, fiel mir ein, doch Myrie lächelte zum zweiten Mal, als es um Indien ging.

– Die Menschen gieren danach, das Welträtsel zu lösen und die Mystik zu entschleiern, sagte er. Sie sind hungrig nach Übernatürlichem und nach spiritueller Wahrheit. Sie wollen Inseln des Friedens jenseits unserer Meere. Es ist eine Mode, weiter nichts. Es gibt keine Erlösung für den einzelnen. Diese gierigen Barbaren wollen sich an Gotteserfahrungen laben. Ich hasse sie, alle miteinander. Wir sind alleine unterwegs, und dieses Leben ist nichts wert, es gibt keinen Trost. Diese Kretins bemühen sich verzweifelt, der Tretmühle auch noch einen Sinn zu geben. Hätte ich es mir

aussuchen können, wäre ich nie an diesen verdammungs-
würdigen Ort gekommen, hätte nie gelebt und müßte nie
sterben.

Er stürzte den Rest aus seinem Glas runter, stand auf
und ging rein. Oriana und ich sahen uns an und hoben dieses Mal gleichzeitig die Augenbrauen. Schweigend saßen
wir da, und als Myrie nach zehn Minuten immer noch nicht
zurück war, fingen wir an, zu überlegen, ob wir ins Haus
gehen und nach ihm schauen sollten. Wir beschlossen,
noch ein wenig zu warten.

Es war bestimmt eine halbe Stunde vergangen, seitdem
Myrie aufgestanden war, als ich die Hintertür öffnete und
vorsichtig Mr. Myrie rief, während meine Augen sich langsam an das Dunkel gewöhnten. Keine Antwort. Ich rief
lauter, Mr. Myrie, immer noch keine Antwort.

Wir sahen uns ein wenig um, konnten Myrie aber
nirgends entdecken. Ich brüllte am Fuß der Treppe zu den
oberen Räumen hinauf, doch auch das blieb erfolglos.
Dann betrat ich dieses Zimmer, dessen Tür halb geöffnet
war, eine Art Bibliothek. Über die gesamte Länge der einen Wand waren Regale angebracht, die bis zur Stuckdecke
reichten, an den übrigen Wänden hingen Bilder, Repro-
duktionen alter erotischer Zeichnungen, vielleicht auch
Originale. Indische Männer mit gierigem, entrücktem
Blick und überdimensionalen Phalli, deren Spitzen in
äußerst gelenkigen Frauen verborgen sind. Asiaten, die
sich in Opiumhöhlen sexuellen Genüssen hingeben, euro-
päische Zeichnungen aus dem 19. Jahrhundert mit beklei-
deten Männern und Frauen, die nur ihre Genitalien entblößt haben, aber auch neuere Bilder, ich erkannte eins von
Eric Stanton, eine Frau auf einem Bett, die den Kopf eines
Jünglings zwischen ihren Schenkeln festhält, um sich bedienen zu lassen. Zeichnungen von gefesselten Japanerin-
nen und Ausschweifungen in osmanischen Harems.

– So heiß können Fotos nie sein, sagte Oriana.

Ich war auch überwältigt von diesen Bildern, meine Blicke sprangen hin und her, ich konnte mich nicht entscheiden, ein bestimmtes länger zu betrachten, es war ein schier unglaublicher Überfluß, Momentaufnahmen aus anderen Welten. Etwas, das sich anfühlte wie ein Zittern oder Zucken, ging durch meinen Schwanz, ohne daß er sich aufrichtete.

Während Oriana sich noch die Bilder ansah, ging ich zum Regal, in meiner Neugier wollte ich alles möglichst schnell in mich aufnehmen, mein Herz klopfte. Außer Josefine Mutzenbacher, Fanny Hill, Die Geschichte der O, Justine, Mein geheimes Leben und ähnlichen Klassikern gab es dort ganze Jahrgänge pornographischer Zeitschriften, Leg Show, D-Cup, Voluptous, Nextdoor Beauties, Naughty Neighbors, Shaved, Black Tail, Tight, Come of Age, Big Butt, Hometown Girls, Plumpers, Babyface, Over 40, Amateur Ecstasy. Hätte man zu all diesen Magazinen masturbieren wollen, es wäre eine Lebensaufgabe gewesen.

Ob Oktay wohl dieses Zimmer gesehen hatte? Und wieso gab es hier keine Sitzgelegenheit? Egal. Ich schaue mir diesen weichen, runden Po einer älteren Dame an, die ausladenden Kurven, das ungeschminkte Gesicht mit den listigen Augen, umrahmt von langen Haaren mit grauen Strähnen.

– Wer hat euch erlaubt, dieses Zimmer zu betreten?

Ich stopfte schnell die Zeitschrift zurück ins Regal und drehte mich um. Oriana war erstarrt. Ihre Lage erschien mir besser, sie hatte sich nur die Bilder angesehen, die an der Wand hingen. Ich war mit heruntergelassenen Hosen erwischt worden. Beim Wichsen. Von meiner Mutter. So kam ich mir vor.

– Äh, fing ich an, entschuldigen Sie bitte. Also, wir haben auf Sie gewartet, und dann, dann haben wir Sie gerufen, und als wir keine Antwort bekommen haben, haben wir – habe ich angefangen, Sie zu suchen.

– In einem Porno? höhnte er mit lauter Stimme. Glaubst du, ich bin ein Weiberheld wie du? Ein kleiner, geiler Arsch- und Tittenliebhaber, ein Sexsüchtiger, ein Vaginalhedonist? Weißt du, was das ist, ein Weiberheld? Das ist jemand, der sein Leben lang an den Rockzipfeln seiner Mutter hängt, ein Säugling, der immer noch die Brust braucht, eine lächerliche Figur. Mir ist sogar ne Schwuchtel lieber als ein Weiberheld.

Ich hätte ihn gerne gefragt, was es denn dann mit dieser Sammlung auf sich hatte, doch ich konnte kaum meinen Atem kontrollieren, meine Stimme hätte sich überschlagen beim Reden. Wir standen da, und er sah abwechselnd zu mir und zu Oriana, bis sie es vorzog, auf den Boden zu blicken. Dann lieferten wir uns ein Duell, ich mußte ein- oder zweimal kurz blinzeln, doch ich hörte nicht auf, in seine grauen Augen zu sehen.

– Würdet ihr die Güte haben, mein Grundstück zu verlassen, sagte er mit schneidender Stimme.

– Impotenter kleiner Idiot, murmelte Oriana beim Rausgehen, doch sie sagte es auf deutsch und sehr leise.

– Was für ein seltsamer Mensch, sagte ich, als wir durch das Tor auf die asphaltierte Straße traten. Ich habe keine Ahnung, wie er tickt.

Oriana zog kurz die Stirn in Falten.

– Vielleicht ist er jemand, der sich lange Zeit gewünscht hat, gut zu den Menschen zu sein. Irgendwann hat er angefangen, sich selbst und die anderen zu hassen, weil er es unmöglich fand, solche Kreaturen zu lieben. Er hat vergeblich versucht, das Böse in sich zu besiegen, er wollte die Liebe in sein Herz zwingen, doch das geht nicht. Und jetzt, wo er alt ist, hat er aufgegeben. Er mochte Oktay, weil er in ihm etwas gesehen hat, das ihm selbst fehlt.

– Und wieso nennst du ihn einen Idioten, wenn du so viel Verständnis für ihn hast?

– Weil ich ihn nicht mochte. Er hatte keinen Stil, keine Manieren.

Wir gingen die Straße runter Richtung Stadt, ich wünschte, es würde ein Auto vorbeikommen und uns mitnehmen, langsam bekam ich Hunger, und der Gedanke, den ganzen Weg zu Fuß zurückzulegen, schreckte mich.

– Sieh mal, da vorne, sagte Oriana, nachdem wir ein gutes Stück gegangen waren, und deutete auf einen kleinen Fluß, der leise hinter den Bäumen dahinplätscherte.

Es erinnerte mich an den Fluß, den wir aus dem Zugfenster gesehen hatten, ein klares, ruhiges Wasser, dem wir ein wenig in den Wald hinein folgten. Ein Wunsch, der in Erfüllung ging. Wir hielten unsere Hände ins Naß, wuschen uns das Gesicht, hörten die Vögel zwitschern. Wir legten uns nebeneinander auf den Rücken und betrachteten das Licht, das durch die Äste fiel, wir atmeten im gleichen Rhythmus, leise, fast schon vorsichtig, als könne ein falscher Laut alles zerstören. Wenn das nicht schön war, was dann.

Wir bauten einen Staudamm, und während wir zusahen, wie die Blätter auf dem Wasser trudelten, sangen wir zusammen ein Lied. Song with no name. Ich summte nur leise mit und hörte Oriana lieber zu, half ihr mit dem Text, wenn sie ins Stocken zu geraten drohte. Wir setzten uns ins Moos und genossen den Schatten.

Schließlich gingen wir noch ein Stück in den Wald hinein, bis wir zu einer kleinen Lichtung kamen. Ich konnte mir nicht vorstellen, daß es außer uns beiden noch Menschen gab auf der Welt. Ich zog mein T-Shirt über den Kopf und hängte es an einen Ast, dann zog ich die Schuhe aus, die Hose, die Unterhose. Ich breitete die Arme aus, schaute nach oben, atmete tief ein. So angenehm unbekleidet hatte ich mich am FKK-Strand nicht gefühlt, das hier war wie nackt schwimmen. Aus lauter Übermut machte ich einen Handstand. Als ich wieder auf den Füßen war, war auch Oriana nackt, keine Ahnung, wie sie das so schnell geschafft hatte.

Wir pflückten Blumen und klebten uns dann mit Spucke Blütenblätter auf die Stellen, die wir berühren wollten. Ein Blatt an ihrem Hals, eins auf meiner Schulter, eins hinter ihrem Ohr, eins an der Innenseite meines Oberarms, eins auf ihrer Brust, doch das konnte den dunklen Kreis nicht überdecken, ein weiteres auf meiner Brust, eins auf ihrer Hüfte, eins an meinem Nabel, eins auf ihrer Armbeuge, drei auf ihrem Rücken, zwei auf ihren Füßen, eins auf ihrem Hintern, eins an meinem Nacken. Als ihre Hand sich meinem Schwanz näherte, hörten wir auf mit den Blütenblättern.

Wir verschwinden aus der Welt der Häuser, der Arbeit, der Beziehungen, wir verschwinden aus der Welt der Menschen. Es ist wie ein Faden, der reißt, und dann sind wir frei. Wir können sein wie das Mondlicht auf den Wellen, wie eine Kiefer, die dem Wind lauscht, das Quaken eines Frosches, ein Kiesel, der in einen stillen Teich fällt.

Wir träumten, aufzuwachen wie von der Sonne verdunstete Pfützen.

Ich wurde wach, weil mir kalt war, es war schon früher Abend, Oriana saß auf einem großen Stein, auf den sie als Unterlage ihr Kleid gelegt hatte.

– Was machst du?

– Ich habe durch die Äste geblinzelt.

– Bist du schon lange wach?

– Zehn Minuten?

Sie fröstelte. Worte halfen mir manchmal, Situationen festzuhalten, ich konnte mir Bewegungen und die feinen

Veränderungen der Gefühle besser merken, wenn ich mir ins Gedächtnis rief, was ich gesagt oder gehört hatte, als ich glücklich war. Ein Akt schwand dahin, aber nicht die Worte der Begierde.

– Das war gerade, setzte ich an.

– Pssst, sagte Oriana, und sie hatte recht.

Etwa eine Stunde später waren wir in der Stadt, saßen in einem kleinen asiatischen Restaurant, bestellten Sauerscharf-Suppe, Nestnudeln und Ingwerlimonade mit Eiswürfeln. Ich dankte den Göttern, als unsere Teller leer waren. Mein Hunger war gestillt, mein Durst gelöscht, mein Herz weit und weich, mein Körper gesund, meine Seele war heute entflogen, was wollte ich mehr. Dem Herrn sei Lob und Dank für sein Werk.

Als wir ins Hotel zurückkamen, war die Zimmertür aufgebrochen, unsere Taschen waren durchwühlt, das Geld und Orianas Karten waren weg. Joshua und Eileen waren vor ein paar Stunden abgefahren.

11

– Warum hast du mir das verschwiegen?

– Weil du nervös geworden wärst.

– Warum hast du es überhaupt mitgenommen?

Ich zuckte mit den Schultern, sah aus dem Fenster und überlegte, ob es eine Erklärung gab.

– Für Fälle wie diesen? Aus Sentimentalität? Keine Ahnung, ich hänge dran. Es ist wie ein Talisman für mich.

Eine Plastikhülle nach der anderen riß ich von dem dunklen Rechteck, das ich etliche Male durch eine Maschine geschickt hatte, die luftdicht verschweißt. Ich wußte nicht, ob Oriana sauer war. Gestern abend hatte sie verzweifelt ausgesehen. Drei Tage fast ohne Geld. Was wir noch bei uns gehabt hatten, reichte gerade mal, um morgen das Zimmer zu bezahlen. Wir waren weit weg vom Flughafen, wir besaßen keine Kreditkarten, die anderen waren hier nicht gültig, es gab keine Möglichkeit, sich irgendwo Geld zu leihen. Was sollten wir tun.

– Siehst du, hatte ich gesagt, um Oriana aufzuheitern, war doch gut, daß wir soviel ausgegeben haben. Sonst hätten die beiden jetzt noch mehr.

– Glaubst du wirklich, daß sie es waren?

– Warum sollten sie sonst verschwinden, ohne sich zu verabschieden?

– Aus Scham, murmelte sie fragend und war anscheinend erleichtert, daß wir die beiden nicht wiedersehen würden.

– Was machen wir, Mesut? hatte sie gefragt, die Tarotkarten sind auch weg. Können wir neue besorgen? Können wir irgendwie …?

Sie hatte auch nicht gewußt, was.

– Du mußt auf den Strich. Das ist die einzige Möglichkeit. Du kannst an einem Tag mehr verdienen, als wir bisher ausgegeben haben. Oder noch besser, wir ziehen als Sexwanderzirkus durch die Gegend, du und ich, Arioi.

– Das ist nicht witzig.

– Es ist auch nicht witzig gemeint.

Sie hatte mich angesehen und versucht herauszufinden, ob ich das womöglich wirklich ernst meinte. Das hatte mich gekränkt.

– Oriana, wir sind verkatert aufgewacht, wir waren bei Myrie, und danach war es wunderschön. Und jetzt entspann dich, vertrau mir, okay? Laß uns ins Bett gehen und friedlich einschlafen. Es gibt keinen Grund zur Sorge. Sieh die Vögel, sie säen nicht, sie ernten auch nicht, sie haben keinen Keller und keine Scheune und der Herr ernährt sie doch. Wieviel besser sind wir als die Vögel! Sorg nicht für den morgigen Tag, denn er wird für das Seine sorgen. Es ist genug, daß jeder Tag seine eigene Plage hat, hatte ich deklamiert, doch sie hatte mich nur skeptisch angesehen.

– Mach die Augen zu, gib mir die Hand, ich nehm dich mit, du mußt dich um nichts kümmern, hatte ich gesagt.

Oriana hatte die Augen geschlossen, mir die Hand hingehalten, ich hatte die Innenfläche geküßt, hatte ihr das Kleid ausgezogen, hatte sie auf den Arm genommen und ins Bett gelegt. Ich war mir meiner Sache sicher, und ich freute mich, als sie nach einigem Hin- und Herwälzen endlich einschlief.

– Glaubst du, das funktioniert? fragte sie harsch. Sie schien tatsächlich sauer zu sein.

– Das hier, sagte ich, ihren Tonfall ignorierend, und hielt

das Haschisch hoch, das ich mittlerweile ganz ausgepackt hatte, das hier ist eine weltweit gültige Währung. Vergiß Travellerschecks, Bargeld, Kreditkarten, das hier ist schwarzes Gold. Es wird überall begehrt und geraucht, und es ist fast überall illegal. Wir werden einen guten Preis erzielen.

Es waren etwa fünfzig Gramm schwarzer Afghane, den ich in meine Tasche eingenäht hatte und seit einem Jahr überallhin mitschleppte, seit ich aufgehört hatte zu rauchen. Wahrscheinlich hatte die Qualität gelitten, aber das war jetzt zweitrangig.

– Wenn du erwischt wirst?

Ich schüttelte den Kopf. Das würde mir nicht passieren, da war ich mir sicher.

– Du kannst die Sprache nicht, du kennst dich hier nicht aus. Wie willst du das machen? Ich habe Angst. Was passiert, wenn sie dich erwischen, wenn du ins Gefängnis kommst? Wie hoch sind hier die Strafen für so etwas? Das ist ja nicht gerade wenig, was du da hast. Wie konntest du mir das verschweigen?

Ich brach kleine Stückchen von der weichen Masse ab und rollte sie zu Kugeln, etwa so groß wie meine Daumenkuppe.

– Wir müssen an die Küste, sagte ich, in einen dieser Touristenorte. Vertrau mir. Bitte. Sei nicht sauer.

Wir bezahlten das Zimmer. Mit dem Kleingeld, das übrigblieb, konnten wir uns gerade mal eine Flasche Wasser leisten, und die war nur noch halbvoll, als wir endlich an der Straße standen und den Daumen rausstreckten. Oriana sagte wenig, aber ich hatte nicht den Eindruck, daß sie eingeschnappt war, sie schien einfach nur Angst zu haben.

Sehr bald hielt ein Kleinwagen, am Steuer saß eine zierliche Frau mit dünnen schwarzen Haaren. Ich hätte ihr Alter nicht schätzen können, sie war eine von denen, die jahrzehntelang wie ein junges Mädchen wirken, sie hatte einen kleinen Kopf mit fast schon kindlichen Zügen, eine knabenhafte Figur.

Ihr blaues Kleid war mit Seesternen und Muscheln bedruckt und wirkte auf eine vertrackte Art elegant und teuer. Sie hieß Lenka, war Isländerin, konnte gut Deutsch, machte hier Urlaub, das Auto war ein Mietwagen, sie hatte sich im Landesinneren umsehen wollen, und es hatte ihr sehr gut gefallen. Nächstes Mal würde sie gar nicht an die Küste fahren.

– Sie haben sehr schöne Wälder hier und wundervolle stille Orte, sagte sie, es ist wie Musik hören, wenn man da sitzt.

– Wie Musik hören? fragte ich.

– Wenn ich Musik höre, will ich auch, daß es ganz still wird in mir.

Sie lachte, als könne man das auch als Scherz verstehen.

Oriana fragte Lenka nicht nach ihrem Beruf, und ich vermied dieses Thema sowieso, es war meistens nur eine Art, Geld zu verdienen, und nicht wirklich eine Art zu leben. Wenn mich Menschen interessierten, wollte ich wissen, wie sie lebten, wovon sie träumten, wonach sie sich sehnten, was ihnen weh tat, wo sie Glück gefunden hatten und wie sie es schafften, ihr Lächeln zu behalten, falls sie denn eins hatten.

Doch das Gespräch führte von selbst dorthin, und Lenka erwähnte, daß sie Lehrerin an einer Grundschule und Elfenbeauftragte des Bauministeriums war. Sie warf ihren Kopf zurück und lachte wieder herzlich.

– Und was macht man so als Elfenbeauftragte des Bauministeriums? fragte ich.

– Wenn irgendwo eine Straße gebaut werden soll oder man ein Gebäude errichten will, werde ich gefragt, ob dort Elfen wohnen.

– Und wenn ja, dann wird nicht gebaut?

– Nein, ich gebe ihnen Ratschläge, entscheiden tun sie.
Wenn sie meine Vorschläge mißachten, dann passieren
manchmal merkwürdige Dinge.

Ich wußte nicht so recht, ob diese Frau uns zum besten
hielt, aber Oriana fragte ernsthaft:

– Was für Dinge?

– Die Hühner auf dem angrenzenden Hof legen weniger
Eier. Sie sind traurig, weil die Elfen weg sind.

Oriana drehte ihren Kopf zu mir nach hinten und schob
die Unterlippe vor. Lenka lachte wieder und sagte:

– Es ist die Wahrheit. Die meisten Menschen glauben
nicht an so etwas, aber ich weiß, daß es Elfen gibt. Ihr
könnt mich gerne für verrückt halten.

– Du kannst also Elfen sehen? fragte ich.

– Nein, entgegnete Lenka, nicht direkt, ich kann ihre
Aura sehen, erspüren, aber nicht sie selbst.

– Gibt es hier auch Elfen? wollte Oriana wissen.

– Ja, sagte Lenka, etwas außerhalb der Stadt fließt so ein
kleiner Fluß durch den Wald, dort gibt es viele Elfen.

Wieder sah sich Oriana zu mir um, und wir lächelten uns
an. Voyeure, dachte ich für einen Moment, aber ich wollte
nicht mit einem Wort alles kaputtmachen.

– Sie wohnen am liebsten in der freien Natur, weit weg
von den Menschen, nicht wahr? sagte Oriana. Sie wohnen
nicht in Städten, sie brauchen viel Platz.

Lenka nickte und lächelte verträumt.

– Und was passiert mit ihnen, wenn sie vertrieben werden? Suchen sie sich neue Plätze, ziehen sie um? Oder sterben sie?

– Ich weiß es nicht, sagte Lenka, ich habe sie nur einmal
gesehen. Als ich noch ein kleines Mädchen war, haben sie
mich mal mitgenommen. Da war die ganze Vergangenheit
und die ganze Zukunft, es war alles schon passiert und ver-
einigt, ich habe ein riesiges Uhrwerk gesehen, das tickt, mit

sich drehenden Sphären darin, die Erde, die Sterne, das ganze Universum, Weinen und Lachen, Glück und Schmerz, es war alles schon da. Dann bin ich aufgewacht, und seitdem kann ich sie spüren, aber ich war nie wieder dort.

– Aufgewacht? fragte Oriana.

– Es war kein richtiger Traum, ich habe nicht geschlafen, ich habe die Augen zugemacht und habe alles gesehen, aber es war echt.

Das hörte sich für mich an, als habe ihr jemand die heiligen Pilze gegeben, als sie noch klein war. Es war eine fremde Welt, die man da betrat, aber man konnte kaum anders, als daran zu glauben, daß sie wirklich existiert. Was man sah, war einfach zu real, zu nah an etwas, das nichts mehr mit der eigenen Persönlichkeit zu tun hatte, das tiefer lag. Etwas fernab von allen Gewohnheiten und Mustern, nach denen man sonst die äußeren und inneren Dinge wahrnahm, eine Welt, die man betrat wie ein Besucher, und für eine kurze Zeit wußte man, was Unsterblichkeit ist und was die Ewigkeit. Für eine nach der Uhr kurze Zeit wußte man, daß man nicht allein war, man existierte nicht mehr in seinem Körper oder Kopf, man vergaß alles und war Teil der Welt. Ich stellte es mir sehr schön vor, sich ohne Pilze und ohne Vorwarnung plötzlich auf der anderen Seite wiederzufinden, ohne den Schleier vor Augen.

Es war mittlerweile Mittag, Schilder am Wegrand kündigten ein Restaurant an, und kurz darauf hielt Lenka an einem kleinen Holzhaus mit einer überdachten Veranda, auf der Tische und Bänke standen.

– Habt ihr auch Hunger? fragte sie.

Ich sagte: Nein, und Oriana sagte: Wir haben überhaupt kein Geld mehr.

Lenka hielt inne, die Linke schon am Türgriff, sah Oriana an, dann mich, dann wieder Oriana und sagte:

– Seid meine Gäste. Bitte.

– Tausend Dank, murmelte ich und wußte nicht so recht, ob ich mich freuen sollte. Ich hätte nie gesagt, daß wir kein Geld mehr hatten, ich hätte sogar behauptet, keinen Durst zu haben.

Draußen sah ich, daß Lenka die ganze Zeit über barfuß gefahren sein mußte, sie schlüpfte in ein Paar billige Schlappen, die mit bunten Plastikperlen verziert waren. Mir fiel auf, daß sie nicht zu schwitzen schien, während mir mein T-Shirt am Rücken klebte und Orianas Gesicht feucht glänzte. Wir setzten uns an einen Tisch, und ein dürrer Mann mit fleckigen Hosen, die ihm viel zu groß waren und von einem Gürtel gehalten wurden, kam sofort mit einer Karaffe Eiswasser und fragte, ob wir Huhn oder Fisch wollten. Das war die Auswahl. Oriana und ich bestellten Huhn, Lenka Fisch. Ich fühlte mich nicht ganz behaglich bei dem Gedanken, daß sie mehr für uns ausgeben würde als für sich, doch Oriana beugte sich zu mir rüber und flüsterte: Stell dich nicht so an, sie will dir etwas schenken.

Das Hähnchen war knusprig braun, dazu gab es Reis mit roten Bohnen und eine scharfe, dunkelrote, dicke Sauce. Der Fisch mußte groß und rundlich gewesen sein, man hatte ihn in Scheiben geschnitten, die ein wenig aussahen wie Lammrücken. Auch dazu gab es Reis und Bohnen und einen großen Klecks dunkelrote Tunke. Ich schwitzte noch mehr, während ich kaute, aber ich rief den Kellner und ließ mir noch etwas mehr von dieser scharfen Sauce bringen, sie schmeckte vorzüglich, ganz im Gegensatz zu dem Rest, der jeglichen Geschmack schon verloren hatte.

– Vielen Dank, sagte ich, als Lenka bezahlte, mögen die Götter dich mit Wohlstand segnen.

Das hörte sich altbacken und steif an, aber ich wußte nicht, wie man das anders ausdrücken konnte. Es hörte sich obsolet an, weil man sich solche Dinge nicht mehr gegenseitig wünschte. Womöglich hatte man es in dieser Sprache auch noch nie getan, man verstand es ja nicht mal, richtig zu fluchen, man schimpfte nur, Arschloch, Kamel, Popoficker, Schwuchtel, Schlampe, Schwachkopf, dumme Kuh, oder man wünschte sich gerade mal zur Hölle. Niemand sagte: Verflucht sollst du sein bis ans Ende deiner Tage. Verflucht soll deine ganze Sippe sein. Möge dir der Schwanz abfaulen. Magst du blind, taub, einsam und heimatlos enden.

Zwei Stunden später waren wir an der Küste, Lenka setzte uns nahe einer Einkaufsstraße ab. Als wir ihr hinterherblickten, sagte Oriana:

– Ich hatte gehofft, sie würde uns anbieten, uns etwas Geld zu leihen.

Nachdem wir ein wenig im Zentrum herumgegangen waren, entschied ich mich für einen Platz vor dem Postamt. Es gab mehrere Ständer mit Postkarten davor, es herrschte ein reger Verkehr von Leuten, die Urlaubsgrüße loswerden wollten. Ich nahm vier, fünf Stücke Haschisch und legte sie auf den Reifen eines Jeeps, der neben dem Postamt parkte. Dann gab ich Oriana meine Tasche, und sie ging damit zu einem Schließfach am Bahnhof. Sie war nervös, aber nicht so sehr, wie ich befürchtet hatte. Ich hatte ihr erklärt, wie ich es anstellen wollte und wie gering das Risiko war, doch ich hatte damit gerechnet, daß es sie kaum beruhigen würde und wir Streit bekämen.

Ich stand im Schatten und wartete ab. Natürlich gab es fünfzigjährige Familienväter, die kifften, und jede Menge alternder Friseurinnen, die auch nichts anderes im Kopf hatten, aber ich konnte sie nicht mit Sicherheit aus der Menge herauspicken. Das Risiko falschzuliegen war bei den Jüngeren geringer, und von den Jugendlichen suchte ich mir auch nur die aus, die nach HipHop, Skaten und Surfen aussahen oder wie Dauerkonsumenten wirkten. Diese Menschen waren jahrelang bei mir ein und aus gegangen, manchen konnte ich es ansehen, daß sie rauchten, andere trugen Cypress-Hill-T-Shirts, Armbänder in den äthiopischen Nationalfarben oder gleich ein Hemd mit dem Rückenaufdruck: In bud we trust.

Es reizte mich, pst zu sagen, hey, pst, pst, wie ich es oft von Straßendealern gehört hatte, doch das kam mir albern vor. Ich näherte mich ihnen einfach und fragte dann leise, wie zufällig: Was zu rauchen?

Wenn jemand Interesse zeigte, bedeutete ich ihm mit einer Kopfbewegung mitzugehen. Das war der Zeitpunkt, an dem die meisten schon ausstiegen. Sie wollten nicht ein paar Schritte mit mir gehen, und ich wollte nicht mit ihnen rumstehen zwischen all diesen Menschen, die uns zuhören konnten. Ich wollte die Straße langschlendern, als würden wir uns kennen. Wenn das klappte, wurden wir uns schnell einig über den Preis, wir gingen zum Jeep, und ich gab ihnen das Haschisch und nahm erst dann das Geld, damit sie mir vertrauten, damit sie mir glaubten, daß ich sie nicht übers Ohr hauen würde, wie es auf der Straße oft passierte.

Sie führten den Klumpen an ihre Nase, lächelten breit, entspannten sich und zahlten dann alle – bis auf einen, der einfach loslief, als er den Afghanen in der Hand hatte. Ich ließ ihn laufen, da ich keinen Ruf zu verlieren hatte, brauchte ich mir auch keinen Streß zu machen.

Ich fühlte mich sicher, ich sprach nur Touristen an, die würden schon keine Zivilfahnder sein, und wenn die Polizei doch irgendwie mitkriegte, was ich hier machte, dann hatte ich nichts bei mir. Sie mußten mich schon beim Dealen beobachten, doch das würde nicht passieren.

Regelmäßig holte ich Nachschub aus dem Schließfach,

Oriana saß im Bahnhofscafé, und ich setzte mich bei meinem dritten Gang zu ihr und bestellte mir Eistee.

– Es läuft gut, sagte ich, es gibt keinen Grund zur Sorge.

– Du mußt nicht immer herkommen, sagte sie, ich kann dir was bringen.

– Möchtest du das wirklich?

– Ja.

– Danke. Aber ich nicht.

Nach etwas mehr als vier Stunden hatte ich fast alles verkauft, ein zufriedener Kunde kam zurück und wollte noch mal fünf Stücke erwerben. Ich wäre stutzig geworden, hätte mich nach Polizisten umgeguckt, aber seine Augen waren rot, die Lider hingen herab wie bei Robert Mitchum, das war kein Schlafzimmerblick mehr. Der Mann war froh, daß da überhaupt noch ein schmaler Schlitz war, aus dem er raussehen konnte. Ich bekam Lust, auch zu rauchen.

Etwas später kam eine kleine Frau in einem kurzärmligen Männerhemd, deren Hose tief auf den breitem Hüften saß, ein tougher Schick, sie sah aus wie eine, die viel mit Männern rumhängt. Mich hatte diese Sorte Frau schon immer gereizt, aber ich hatte nie eine kennengelernt. Sie war vielleicht achtzehn, neunzehn Jahre alt, auch ihre Augen waren rot, rot wie die Sauce von heute mittag. Sie steuerte geradewegs auf mich zu und sagte nur: Afghane. Ich nickte, ich kam mir ein wenig vor wie in alten Zeiten. Sie drückte mir einfach Geld in die Hand.

Als sie ging, verstand ich, warum ihre Hose so niedrig hing. Sie hatte eine Tätowierung in Höhe ihres Lendenwirbels, die den Schwung ihrer Pobacken nachahmte. Ich hätte viel gegeben, ihren nackten Hintern sehen zu dürfen. Mir gefiel es, wenn Frauen versuchten sexy auszusehen, mir gefiel es, zu wissen, daß sie die Blicke genoß, sonst hätte sie sich doch eine Rose aufs Schulterblatt tätowieren lassen.

Die letzten zwei Stücke lagen auf dem Reifen, wir hatten genug Geld, um es uns die letzten Tage gutgehen zu lassen, ich wollte noch diese zwei Stücke loswerden und mich dann mit Oriana nach einem Hotel umsehen. Das war keine Habgier oder unnötiges Risiko, was hätte ich denn mit den letzten beiden Stücken machen sollen?

Als ich ein Stück die Straße runterging, weil ich das Gefühl hatte, daß der Postkartenverkäufer mich bereits prüfend musterte, sah ich gerade noch, wie jemand in den Jeep stieg. Er ließ den Motor an und fuhr los. Ich ging dahin, wo der Wagen gestanden hatte, da klebte noch ein wenig plattgefahrener Afghane auf dem Asphalt, das meiste war aber wohl im Profil des Reifens steckengeblieben. Ich hockte mich hin und klaubte das Zeug von der Straße, alles in allem vielleicht ein halbes Gramm, eher weniger. Ich rollte es zu einer Kugel und steckte sie in die Tasche. Genug gedealt.

Im Hotelzimmer holte ich das Bündel dreckiger, knittriger, fadenscheinig gewordener Geldscheine hervor und zählte es noch mal, obwohl ich ziemlich genau wußte, wieviel es war. Leichtes Geld, es war schön, wenn es so wenig Mühe machte, es zu verdienen, konnte man es mit vollen Händen ausgeben. Aber ich wollte nie wieder berufsmäßig dealen, es machte mich unruhig, ständig zu wissen, daß ich gegen das Gesetz handelte, daß man mir etwas konnte.

– Das ist kaum zu glauben, sagte Oriana, soviel kann man als Wahrsagerin nicht verdienen.

– Sex, sagte ich, Sex und Drogen verkaufen sich immer gut. Es sind die einzigen Möglichkeiten, kleine, perfekte Illusionen des Glücks zu erleben, unabhängig davon, wie dein Leben gerade aussieht. Und Sex ist auch noch legal. Pornos, Dildos, Voyeurismus auf Klos, Gleitcreme auf Wasserbasis, Liebeskugeln, weils krasser Spaß ist, Vibratoren im Schlangendesign, mit Viagra wird er lange nicht klein, getragene Höschen und Strumpfhosen im Postversand, Fotos in scharfen Posen am Ostseestrand. Die Menschen wollen sich vergessen, und dafür sind sie bereit zu zahlen.

Ich blickte von dem Bündel auf, Oriana sah traurig aus.

– Stimmt was nicht?

Sie biß sich mit dem linken Eckzahn auf die Unterlippe und schloß kurz die Augen.

– Ich habe an diesen Karten gehangen, sagte sie, meine Mutter hat sie mir geschenkt. Es waren meine ersten und einzigen.

Warum hatte sie das nicht schon vorher gesagt? Ich nahm sie in den Arm und strich ihr über die Haare, flüsterte ihren Namen. Es wird alles wieder gut, versprach ich ihr.

Wir standen lange so da, bis sie sich von mir löste. Dann holte sie das Radio raus und suchte einen Sender, der ihr gefiel. Sie blieb bei einem traurigen Stück hängen, eine Frau sang davon, daß sie sich gerne an die Namen der Plätze und Straßen erinnerte, an denen sie gemeinsam gewesen waren. Ich ging duschen, als ich zurückkam, saß Oriana nackt im Schneidersitz auf dem Bett und blickte starr an die Wand.

– Langsam, flüsterte sie, ich folgte ihrem Blick, und da saß eine Eidechse, kaum größer als meine Hand, grünlichgelb auf der blaßblauen Wand. Es sah aus wie ein Kunstwerk. Im Radio lief ein Blues. Einige Minuten stand ich da, das Wasser trocknete auf meiner Haut, keiner von uns dreien bewegte sich.

Man konnte autogenes Training machen, transzendentale Meditation, Zazen, Pranayama, man konnte Farben einatmen oder sich auf die sieben Chakras konzentrieren, aber es reichte völlig, sich in aller Ruhe eine Eidechse anzusehen.

Plötzlich schoß das schillernde Tier davon, verschwand

durch eine Ritze am Fenster. Oriana und ich sahen uns an, es war, als seien wir uns gerade sehr nahe gewesen.

– Hast du Lust, mit mir Haschisch zu rauchen? fragte ich, als sie aus der Dusche kam, nur ein Handtuch um ihren Kopf.

– Es ist nicht gefährlich, sagte sie, es klang nicht wie eine Frage, doch ich bestätigte: Es ist nicht gefährlich.

Oriana nickte.

– Hast du mal geraucht, Zigaretten? fragte ich, und als sie verneinte, sagte ich:

– Warte auf mich.

Ich zog mir was an, lief runter, fand einen Kramladen, besorgte eine Stecknadel, ein Stück Pappe und ein Feuerzeug. Zurück auf dem Zimmer, stach ich die Nadel durch die Pappe, plazierte ein wenig Afghanen auf der Spitze. Ich nahm das Zahnputzglas, hielt die Flamme des Feuerzeugs an das Harz, bis es glimmte, dann stülpte ich das Glas drüber. Der Rauch stieg senkrecht in einer dünnen Säule bis zum Boden des Glases auf und fiel dann an den Seiten wieder herunter.

– Das sieht schön aus, sagte Oriana.

– Ja, und außerdem wird der Rauch gekühlt und verdünnt, er wird nicht in deiner Lunge beißen.

Als das Haschisch verglimmt war, nahm ich das Glas mitsamt der Pappe vom Tisch, rückte den Rand des Glases über den Rand der Pappe und inhalierte den Rauch. Dann plazierte ich noch ein Stück auf der Nadelspitze, und Oriana war dran. Dann wieder ich. Oriana. Ich. Oriana. Noch mal Oriana, weil es viele Menschen gab, die beim ersten Mal mehr brauchen, um eine Wirkung zu spüren. Noch mal Oriana.

– Merkst du etwas? fragte ich.

– Nein, sagte sie, ich fühle mich ganz normal. Was muß man denn merken?

– Nichts.

– Es schmeckt ein wenig nach Lakritz.

Sie schmatzte und wiederholte dann: Lakritz. Ich wußte, es würde reichen.

– Meine Augen gucken ganz komisch, war das nächste, was sie sagte.

Ihre Lider waren leicht gesenkt, die Gesichtszüge entspannt, ich wollte nichts sagen, ich wollte, daß sie sich ohne Ablenkung darauf konzentrieren konnte, wie sich das anfühlt. Ich selbst war nach der langen Abstinenz auch ziemlich breit, aber es war ein vertrautes Gefühl. Es hatte etwas Wehmütiges, als würde man zurückkehren in eine Stadt, in der man lange gewohnt und sich wohl gefühlt hatte, es war eine Art vergessenes Zuhause.

– Boah, sagte Oriana, das ist Wahnsinn, das sind so viele Wörter und Bilder. Schmetterling, Zitrone, Froschschenkel, Taucherflosse, wie die verbunden sind. Und dann fing sie an zu lachen und steckte auch mich damit an. Wir alberten rum, kringelten uns, bis wir keine Luft mehr bekamen und Tränen in den Augen hatten.

– Ich habe einen unglaublich trockenen Mund, sagte Oriana.

– Ich hole uns was zu trinken.

Daran hatte ich vorhin nicht gedacht, jetzt flitzte ich noch mal runter, ließ Oriana allein in ihrem Rausch, holte Cola, Bier und Ananassaft, nachdem ich stundenlang vor dem Kühlregal gestanden hatte, ohne mich entscheiden zu können. Als ich die Tür zu unserem Zimmer öffnete, schreckte Oriana hoch. Sie hatte rücklings nackt auf dem Bett gelegen.

– Du warst ganz schön lange weg, sagte sie und legte sich vorsichtig wieder zurück.

– Nein, sagte ich, so lange war das nicht. Die Zeit vergeht nur anders. Sie dehnt sich. Manchmal kann man reinfallen.

Einmal habe ich diesen Film gesehen, den ich in- und auswendig kannte, und ich wußte, daß dieser Mann gleich sagen wird: Ich will nicht Erleuchtung oder Ruhm, ich will nur die Gesellschaft von Heiligen. Und er hat es nicht gesagt, stundenlang hat er die Lippen nicht auseinandergekriegt, ich habe gewartet und gewartet und gewartet, aber es war, als steckte ich irgendwo fest.

– So ähnlich ging es mir, als wir uns das erste Mal in die Augen gesehen haben.

Die Luft war warm und weich, sie fühlte sich auf der Haut an wie eine Liebkosung, Oriana verströmte einen wunderbaren Geruch.

– Weißt du, wo ich gerade war? fragte sie. In einem riesigen Tempel mit goldenen Säulen, wo ein Fruchtbarkeitsritual gefeiert wurde. Da war die Statue einer nackten sitzenden Göttin, bestimmt zehn Meter groß, mit riesigen Brüsten. Man konnte ihre Vulva sehen, aus der Öffnung kam Rauch, der nach Sandelholz und Ylang Ylang roch.

Junge Männer, nur mit braunen Lendenschurzen bekleidet, beten zur Göttin. Vorne sitzt ein Priester in einem weißen seidenen Umhang, der von einem Gürtel zusammengehalten wird. Es liegen rote, blaue und grüne Kissen dort und Blumen, die man der Göttin als Opfergabe dargebracht hat, Orchideen, Lotosblüten, Engelstrompeten. Dann werde ich von zwei Männern hereingeführt. Vollkommen nackt, die Hände auf den Rücken gefesselt. Man hat mich auserwählt für dieses Ritual, ich wollte mich verweigern. Ich wollte nicht nackt sein vor diesen Männern, doch der Ritus muß vollzogen werden.

Sie führen mich zum Priester, nehmen mir die Fesseln ab und legen mich auf den Boden. Aus der vordersten Reihe treten sechs junge Männer hervor, die mich streicheln und küssen, während die übrigen einen heiligen Gesang anstimmen. Die Männer beschreiben dem Priester mit leisen

Stimmen, wie sich meine Haut anfühlt, meine Brüste, meine Schenkel, meine Haare, meine Wangenknochen, meine Knie und mein Bauch. Sie saugen an meinen Brustwarzen, und einer teilt meine Lippen und zeigt dem Priester das rosige Fleisch. Sie fangen an, mich abwechselnd zu lecken. Ich möchte die Kontrolle behalten, doch ich merke, wie naß ich bin, und kann auch die Seufzer nicht unterdrücken. Die Jünglinge geben sich wirklich Mühe. Bald kommt es mir vor allen Männern, die weitersingen müssen, als würde es sie nicht bewegen, was sie sehen.

Der Priester löst den Gürtel, sein Umhang fällt, und ich sehe, daß er einen riesigen Steifen hat. Die Männer führen mich zu ihm, und ich muß mich auf seinen Ständer setzen. Der Priester wirkt unbeteiligt, als sei er selbst gar nicht da. Ich muß ihn zum Höhepunkt bringen, während er auf diesem Schemel sitzt und den Namen der Göttin murmelt.

Auch ich hatte einen Steifen, ich zog mich aus und fing an, mit meiner Zunge um Orianas Nippel zu kreisen, spürte die kleinen Erhebungen an den dunklen Rändern. Oriana stöhnte leise, meine Zunge bewegte sich in Zeitlupe. Als schließlich meine Lippen eine ihrer erigierten Brustwarzen berührten und ich sie in den Mund nehmen wollte, so langsam es nur ging, stieß sie meinen Kopf weg und sagte: Nicht.

Ich sah sie verwundert an, ich hatte keine Ahnung, was ich falsch gemacht haben könnte.

– Es wäre fast schon gekommen, sagte sie, und als ich weitermachte, hoffte ich, es würde ihr tatsächlich kommen, während ich an ihren Nippeln saugte. So etwas hatte ich noch nie erlebt. Und es geschah auch nicht.

Als ich in sie eindrang, lächelt sie entrückt. Ihr Lächeln wurde breiter und breiter und breiter, und schließlich fing sie an zu lachen. Ich sah sie lachen, hörte sie lachen, spürte sie lachen, ihre Muskeln zogen sich immer wieder zusammen. Zuerst bewegte ich mich weiter, doch Oriana lachte so laut und herzlich, daß mein Schwanz weich wurde und ich ganz unsicher, verärgert, verstimmt, verschüchtert. Es war nicht die Zeit, albern zu sein.

Ich wartete, bis sie sich beruhigt hatte, doch bevor ich fragen konnte, sagte sie:

– Das war das Lachen, das nach dem Lächeln kommt.

Das löste ein angenehmes Prickeln in mir aus. Wir küßten uns, und schon bald stand die Zeit wieder still.

Oriana ist es gekommen, die Wellen sind verebbt. Ich ziehe meinen Schwanz raus und dränge mit der Spitze gegen ihr Arschloch. Sie schüttelt den Kopf. Ich will es mir in ihrem Arsch kommen lassen und sage: Laß mich. Es klingt mehr nach einem Befehl als nach einer Bitte. Sie entspannt, und ich schiebe ihn rein, es gefällt ihr nicht, sie liegt da und läßt es geschehen, doch das ist mir egal, ich will sie benutzen, ich will, daß sie stillhält für mich. Es prickelt wieder überall, dann kommt es mir, Bilder einer Unterwasserwelt tauchen vor meinen geschlossenen Augen auf, die Rätsel sind gelöst. Ich versinke im Dunkel.

12

Als ich morgens von der Toilette kam, räkelte sich Oriana im Bett und streckte dann die angewinkelten Beine in die Luft. Es war eine Art Nachglühen des Rausches von gestern abend, kaum aus dem Land der Träume zurück, ließen wir die Welt wieder hinter uns, besuchten den Ort freizügiger Genüsse jenseits der Meere. Es leuchtete grün und rot.

Hinterher lag ich neben Oriana auf dem Bauch, spürte noch ein angenehmes Ziehen in mir, irgendwo zwischen Rückgrat und Sphinkter, und als auch das verflogen war und mein Schweiß langsam trocknete, fühlte ich mich gar nicht mehr gut.

Ich war die Lust los. Meine Suche nach Oktay war nicht erfolgreich gewesen. Ich hatte wieder geraucht, obwohl ich doch damit aufgehört hatte. Unser Urlaub war fast zu Ende. Das hier war ein langweiliges Touristenkaff, nicht der Rede wert, Oriana und ich hatten schöne Tage gehabt, doch jetzt gab es gerade nicht mehr den geringsten Grund, aufzustehen und das Hotelzimmer zu verlassen. Wo sollten wir auch hin? An den Strand, in eine andere Stadt, zurück in die Hauptstadt? Vergnügen ist auch Leid, weil es endet.

Irgendwann stand Oriana auf, duschte, zog sich an, ohne daß ich dabei zusah. Ich lag da und überlegte seit einer halben Stunde, ob ich das Radio einschalten sollte.

– Laß uns in ein Café gehen, sagte sie, um diese Zeit finden wir bestimmt etwas Schnuckliges, das nicht überfüllt ist. Es sind alle am Strand.

Ich schlüpfte in meine kurzen Hosen, zog die Leinenschuhe an, klaubte mein T-Shirt vom Boden, und wir gingen los.

– Erzähl mir eine Geschichte, sagte ich unterwegs, weil ich keine eigenen Gedanken fand, denen ich nachhängen wollte. Ich wollte eine Geschichte hören, von einem Mann und einer Frau, die gemeinsam wegfahren.

– Finn, der Dichter, fing Oriana an, wohnte am Linn Feic, einem Teich am Fluß Boyne in Irland. Dort wartete er sieben Jahre auf den Lachs der Weisheit, der das Wissen besaß, weil er die Nüsse von neun heiligen Haselnußsträuchern gegessen hatte. Finn fing nach sieben Jahren den Lachs und wollte sein Fleisch verzehren, um in den Genuß des grenzenlosen Wissens zu gelangen. Er beauftragte einen Knaben, den Fisch zu braten, verbot ihm aber, davon zu kosten, damit dieser Jüngling ihm nicht ebenbürtig würde. Der Knabe nahm den Fisch aus, goß Öl in eine Pfanne und erhitzte es über dem Feuer. Er briet den Fisch zuerst von der einen Seite an, und als er ihn dann wenden wollte, verbrannte er sich den Daumen an dem heißen Fisch und steckte ihn in den Mund, um den Schmerz zu lindern. Augenblicklich bekam er das Wissen, das erleuchtet, und die Fähigkeit, in die Zukunft zu sehen, so oft er nur an seinem Daumen lutschte. Und daher kommt es, daß kleine Kinder am Daumen lutschen. Sie wollen zur Weisheit zurück, an die sie sich dunkel erinnern können.

Das war nicht die Geschichte, die ich hatte hören wollen. Denn wo viel Weisheit ist, da ist viel Grämen, und wer viel lernt, der muß viel leiden, hieß es beim Prediger Salomo, doch ich behielt es für mich. Konnte es sein, daß Oriana nicht das geringste Gespür dafür hatte, wie ich mich gerade fühlte?

Wir hatten in einem Hinterhof ein Café gefunden, wilder Wein rankte von den Wänden, und nur einer der Tische war besetzt, von älteren Männern, die eine Karaffe Rosé vor sich stehen hatten. Wir setzten uns in den Schatten, bestellten Frühstück. So etwas hatte Oriana sich anscheinend vorgestellt, sie legte die Hände auf den Tisch und beugte sich ein wenig vor. Ich betrachtete die Finger, die Monde an den Nägeln, die Falten über den Knöcheln. Meine Lust kehrte nicht zurück. Oriana hob die Rechte und legte mir ihren Zeigefinger in die Mulde zwischen den Schlüsselbeinen.

Wir saßen an einem ruhigen Plätzchen, der Wein bewegte sich weich im Wind, wir warteten auf unser Frühstück, die Männer tranken schweigend, und Oriana schien glücklich zu sein. Sie streifte die Sandalen von den Füßen und lehnte sich zurück, faltete die Hände auf dem Bauch. Das Licht war süß, es war den Augen lieblich, die Sonne zu sehen, wir würden essen und trinken, es würde uns an nichts mangeln. Ich wollte noch möglichst lange so dasitzen, ich wollte, daß der Kellner trödelte und es Ewigkeiten dauerte, bis unsere Bestellung kam. Ich wollte nichts tun müssen, es würden andere Zeiten und Gefühle kommen. Vielen ging es schlechter, ich hatte keinen Grund für Selbstmitleid. Aber trotzdem.

Schon von weitem sah ich diesen Mann langsam, aber zielstrebig auf das Tor zugehen. Sein Gang kam mir vertraut vor, aber ich wußte nicht, woher. Während ich versuchte, mich zu erinnern, kam er näher, und man konnte sein Gesicht erkennen. Ich wollte nicht glauben, was ich sah. Er ging an uns vorbei, merkte, wie ich ihn anstarrte, drehte den Kopf, lächelte, zwinkerte mir zu. Die Männer nickten ihm kurz zu, und er erwiderte den Gruß, bevor er sich an einen Tisch an der Wand setzte.

Er sah alt aus, sein Anzug wirkte etwas abgetragen. Als er sein Jackett auszog, konnte man sehen, daß sein weißes Variohemd zerknittert war. Er wirkte trotzdem elegant, hielt sich sehr gerade, die Bewegungen waren geschmeidig, doch seine Augen hatten an Glanz verloren, sie waren lange nicht mehr so schön, wie ich sie in Erinnerung hatte. Ich überlegte, wie alt er wohl gewesen sein mochte, als ich ihn das erste Mal gesehen hatte. Knapp über dreißig vielleicht, dann war er jetzt etwa Mitte Fünfzig, doch er wirkte älter. Seine Haare waren ergraut und schütter, das Gesicht war faltig, er wirkte wie jemand, der zu lange für etwas gekämpft hat.

– Kennst du den? fragte Oriana, als ihm der Kellner eine grünliche Flüssigkeit und Eiswasser hinstellte. Unser Frühstück ließ noch auf sich warten. Unsere Getränke auch.

Ich wandte zum ersten Mal meinen Blick ab und sah Oriana an. Ich hatte das Gefühl, als könne ich jeden Augenblick in Tränen ausbrechen. Ich nickte langsam, überlegte, was ich sagen sollte, dann murmelte ich: Moment, stand auf, schob meinen Stuhl zurück, versuchte tief in den Bauch zu atmen, um mich zu beruhigen, um zu verhindern, daß meine Stimme zitterte oder sich überschlug. Ich ging zu ihm und fragte:

– Monsieur Borell?

Er schaute von seinem Getränk auf, sah mich ohne allzu großes Interesse an und sagte freundlich: Oui. Qu'est-ce que vous voulez?

Ich wünschte, ich hätte lange Hosen an, ich wünschte, ich hätte Hosentaschen, um meine Hände darin zu verstecken. Mein Französisch war miserabel, also sprach ich türkisch.

– Ich kenne Sie aus Istanbul.

Mehr fiel mir nicht ein.

– Ich kann mich nicht an dich erinnern, erwiderte Borell auf türkisch.

– Ich war damals noch ein kleiner Junge. Sie sind jeden

Tag in dieses Holzhaus gegangen, und ich habe oben an der Straße auf einem großen Stein gesessen und Sie beobachtet, jeden Tag.

Er sah mich jetzt genauer an, schien zu überlegen.

– Du warst immer nur im Sommer da, richtig? sagte er.

– Ja, richtig.

Ich war erstaunt, daß er sich an mich erinnern konnte. Hatte ich tatsächlich einen bleibenden Eindruck hinterlassen?

– Möchtest du dich setzen? fragte er. Kann ich dir etwas zu trinken bestellen? Ist das dort deine Freundin? Ruf sie doch her.

– Gerne, sagte ich.

Ich ging zu Oriana.

– Das ist Borell, sagte ich, wollen wir uns zu ihm setzen?

Ich war ganz aufgeregt, mehr brachte ich nicht raus, und sie stand einfach auf und kam mit rüber. Ich stellte die beiden einander vor, Oriana, das ist François Borell, Monsieur Borell, das ist Oriana. Als Borell aufstand und ihr die Hand gab, leuchtete sein Gesicht auf. Er wirkte nicht lüstern oder anmaßend, er sah aus wie jemand, der mit den Augen Komplimente machen kann.

– Und wie heißt du?

– Oh, ach so, ich heiße Mesut.

Ungelenk setzte ich mich Borell gegenüber, der dem Kellner etwas zurief. Kurz darauf hatten auch Oriana und ich Gläser mit grünlicher Flüssigkeit vor uns.

Ich hatte so viele Fragen, daß ich gar nicht wußte, wo ich anfangen sollte. Was hatte er in Istanbul gemacht? Hatte er irgendwie Geld verdient? Wieso hatten alle übereinstimmend behauptet, er sei Schriftsteller, obwohl er nie etwas veröffentlicht hatte? Warum war er weg aus Istanbul? Warum konnte er akzentfrei Türkisch? Was machte er hier? Hatte er wirklich Kredit gehabt bei den Frauen im

Holzhaus? War dieser elegante Gang angeboren, oder war er mal Tänzer gewesen?

Wir ließen die Gläser aneinanderklirren, nachdem wir das Getränk mit Wasser verdünnt hatten, Yarasın, sagte Borell, und ich nahm einen Schluck von dieser Flüssigkeit, die ein wenig nach Anis schmeckte und einen tauben Geschmack im Mund hinterließ. Absinth, das wird der berühmte Absinth sein, dachte ich.

Der Kellner brachte unser Frühstück, und Borell fragte Oriana, ob sie türkisch könne.

Sie verstand die Frage und schüttelte den Kopf.

– Ich kann kein Englisch, sagte er, sonst könnten wir uns auf englisch unterhalten.

– Früher wollte ich immer werden wie Sie, platzte ich heraus. Alle haben gesagt, Sie seien Schriftsteller, ich habe oft unter Ihrem Fenster gestanden und Ihrer Schreibmaschine zugehört. Lange Zeit wollte ich auch Schriftsteller werden, doch dann habe ich herausgefunden, daß Sie noch nie etwas veröffentlicht haben.

Er schmunzelte.

– Ich hatte einen guten Freund in Istanbul, sagte er, einen sehr guten. Er war schon alt und hatte mal als Gesucheschreiber gearbeitet, bevor dieser Beruf ausstarb. Er saß vor dem Amt und tippte für die Leute, die nicht lesen und schreiben konnten, Suppliken, Repliken, Formulare. Ich saß gerne neben ihm und hörte seiner Schreibmaschine zu. Er mochte es zu tippen, obwohl er schon lange nicht mehr arbeitete. Mir gefiel, wie dieser eine Buchstabe hieß: das weiche g. Und es gibt kein Wort, das mit einem weichen g anfängt, ist das nicht verwunderlich? Mein Freund hieß Yaşar, aber er starb. Er hatte keine Familie, er war allein auf der Welt. Wie ich. Also bekam ich seine Schreibmaschine. Manchmal saß ich dann in meinem Hotel und machte die Geräusche, die er gemacht hatte.

Er nahm sein Glas, führte es an die Lippen, und jetzt erst bemerkte ich, daß seine Hände leicht zitterten. Nachdem er sein Glas wieder abgestellt hatte, sah er Oriana zu, wie sie Butter auf das frischgebackene Brot schmierte, seine Augen blieben an ihren Händen hängen, und ich wünschte mir, er würde es vorziehen, auf ihre Titten zu gucken.

– Womit haben Sie Geld verdient? fragte ich. Das war nicht besonders diskret, aber ich wollte es wissen, ich wollte es wissen, weil dieser Mensch eine sehr lange Zeit über-lebensgroß gewesen war für mich, so voller Geheimnisse, ein so unglaublicher Antrieb für meine Phantasie, so weit weg von allem, das ich erklären konnte, und jetzt wollte ich diesen Schleier, durch den ich ihn als Kind gesehen hatte, wegreißen und sehen, was übrigblieb. Ich hatte seltsamer-weise keine Bedenken, daß ich enttäuscht werden könnte.

Er schmunzelte wieder, als würde er in Erinnerungen schwelgen.

– Esrar, sagte er.

Haschisch, er hatte Haschisch verkauft, Bhang, Charas, Ganja, Kif, Liamba, Grifa, Marihuana, Cannabis, Chalice, Dope, Pot, Weed, Gras, Hanf, Mary Jane, Mota. Shit, er hatte mit dem heiligen Kraut der Ekstase gehandelt. Ich bekam eine Gänsehaut.

Mechanisch griff ich nach dem duftenden Brot und legte etwas Käse darauf. Ich hatte keinen Hunger, ich biß nicht mal ab.

– Die Frauen im Holzhaus, sagte ich, stimmt es, daß Sie Kredit bei ihnen hatten?

Er deutete ein Nicken an.

– Und warum können Sie so gut Türkisch?

– Ich habe fast fünfzehn Jahre in Istanbul gelebt.

– Und warum sind Sie fort?

– Je höher der Affe klettert, desto besser sieht man sei-nen kleinen roten Arsch.

– Und was machen Sie hier, wenn ich fragen darf?

– Ich versuche den See mit Wasser zu füllen.

Ich wußte nicht, ob er mir mit den letzten beiden Antworten etwas sagen wollte oder einfach nur keine Lust hatte, mir Auskunft zu geben. Er schien nicht stolz zu sein auf diese kryptischen Aussagen, er vermittelte mir auch nicht das Gefühl, in ihnen stecke eine Weisheit, die nur sehen konnte, wer Augen hatte.

Was er sagte, half mir nicht, ihn in einem anderen Licht zu sehen als früher. Er war ein gutaussehender Held, gealtert, vielleicht müde, aber immer noch ein Mann ohne Bindungen, ohne Vergangenheit und Zukunft, einer, der die Melodie des Lebens gehört hatte.

– Du hattest einen Freund, sagte er, etwas jünger als du. Ihr wart oft zusammen.

– Ja, mein Cousin Oktay, er ist vor Jahren verschwunden, er soll angeblich hier irgendwo sein, ich habe ihn die letzten Tage vergeblich gesucht.

Borells Blick schweifte in die Ferne, er bekam diesen weichen, melancholischen Ausdruck, der mich schon als Kind fasziniert hatte.

– Oktay also. Ich glaube kaum, daß du ihn finden wirst, sagte Borell und nahm noch einen großen Schluck aus seinem Glas. Hoffentlich langweilt sich deine Freundin nicht, fügte er hinzu, sie ist eine schöne Frau. Er lachte.

– Warum glauben Sie das nicht, warum glauben Sie nicht, daß ich ihn finden werde?

– Kamaloka ist ein chaotisches Land, war seine knappe Antwort.

Während Oriana aß, plätscherte unser Gespräch dahin, Borell unterhielt mich mit amüsanten Anekdoten, mit Geschichten, die ihm in den verschiedensten Ländern widerfahren waren, seitdem er Istanbul verlassen hatte. Doch auch die halfen mir nicht, ihn besser zu verstehen oder ihm näherzukommen. Wenn er auch kein Schriftsteller war, er schien es zu mögen, mit seinen Erzählungen bei den Menschen zu sein. Er gab mir gar nicht mehr die Gelegenheit, ihm Fragen zu stellen, er erzählte einfach, er erzählte, und ich nahm mir vor, ihn zu fragen, ob er einen naqqâl gekannt hatte.

Er bestellte sich noch ein zweites und drittes Glas Absinth, ich war schon nach dem ersten benommen und lehnte ebenso wie Oriana dankend ab.

– Ich will euch nicht länger aufhalten, sagte er, als Oriana sich den Mund mit der Serviette abwischte. Er stand auf, reichte zuerst Oriana, dann mir die Hand. Ich erhob mich, und wir küßten uns auf die Wangen.

– Paß gut auf dich auf, Mesut, sagte er, es war schön, dich kennengelernt zu haben.

Ich stand noch immer da, als ich ihn längst nicht mehr sehen konnte. Dieser Gang, so anmutig, als würde er gleich anfangen zu tanzen, ich hatte ihn nicht nach dem Gang gefragt. Und nicht nach dem naqqâl. Am liebsten wäre ich ihm hinterhergelaufen, hätte ihn nach seiner Adresse gefragt, seinem Hotel, nach einer Verabredung am Abend. Doch ich setzte mich und hatte schon wieder das Gefühl, als könne ich in Tränen ausbrechen. Borell, ich hatte nicht gesehen, was sich hinter diesem Namen verbarg. Meine Augen wurden glasig. Es müßte immer Musik dasein, bei allem, was du machst, wie die Musik, zu der Borell sich bewegt. Es müßte immer Musik dasein, und wenn du da sitzt und einen ziehenden Schmerz verspürst, wenn du glaubst, in einem Augenblick alles verlieren zu können, wenn etwas in dir aufbrandet, das Verzweiflung sein könnte oder Panik oder einfach nur Trauer, dann wäre da immer noch die Musik.

– Du hast nicht übertrieben, sagte Oriana, er sieht verdammt gut aus. Und diese Bewegungen, wie ein Panther. Und diese Augen. Aber er wirkte alt.

Ich versuchte wiederzugeben, was Borell erzählt hatte, ich mußte reden, ich mußte versuchen zu erklären, was für ein Wunder das war, daß dieser Mann überhaupt existierte und daß ich ihn hier traf. Er hatte nicht die geringste Ahnung, wie wichtig er in meinem Leben gewesen war. Ohne ihn hätte ich nie mit Yoga angefangen, ich hätte mich nie mit den Klängen, den Formen und den Rhythmen der Worte beschäftigt, ich hätte nie soviel über Hurenhäuser phantasiert. In meinen kühnsten Vorstellungen waren das Orte ohne Türen gewesen, wo Männer mit aufgestellten Schwänzen durch die Korridore spazierten und ihn hier und da in die bereitliegenden Frauen reinsteckten.

Ich hätte nicht gerappt, nicht so geträumt, nicht diese Sehnsucht entwickelt, die Melodie zu finden, die seinen Gang bestimmte. Vielleicht hätte ich nicht gedealt. Borell war immer etwas Fernes in meinem Leben gewesen, das ich nicht genau bestimmen konnte, auf das ich aber zustrebte. Jetzt war ich ganz nah dran gewesen, aber ich konnte den Schleier nicht fortreißen, wie früher konnte ich nur versuchen, durch ihn hindurchzusehen, um etwas zu erkennen, das man nicht festhalten konnte.

Als ich zahlen wollte, sagte der Kellner, die Rechnung sei schon beglichen. Das wunderte mich, weil Borell nicht mal aufgestanden war, um auf die Toilette zu gehen, er hatte mir die ganze Zeit gegenübergesessen, und auch als er das Café verließ, hatte ich ihn nicht zahlen sehen.

Als wir wieder auf der Straße standen, fragte Oriana:

– Wirst du mir beibringen, Türkisch zu sprechen? Es hört sich schön an.

– Senin şuranı buranı okşamak istiyorum.

Beim vierten Versuch wiederholte sie den Satz fehlerfrei.

– Ich zeige dir später, was das heißt, sagte ich.

– Wie ist das, ihn getroffen zu haben? fragte sie.

– Seltsam. Unwirklich. Und es hat nichts geändert. Es reicht, daß es ihn gibt, wie eine Art Gott, von dem du dir keine Vorstellung machen kannst, aber in deinem Herzen weißt du, daß er wichtig ist für dich, und du bist dankbar. Er ist unerreichbar. Jahrelang habe ich mir vorgestellt, er sei ein Heiliger. Als ich vierzehn war, habe ich diese Stelle bei Leonard Cohen gelesen und mußte sofort an Borell denken: *Ein Heiliger ist jemand, der eine entlegene menschliche Möglichkeit verwirklicht hat. Es ist unmöglich zu sagen, was diese Möglichkeit ist. Ich glaube, sie hat etwas mit der Kraft der Liebe zu tun. Mit dieser Liebe verbunden zu sein bedeutet, daß man einen gewissen Gleichmut im Chaos des Lebens aufrechterhalten kann. Ein Heiliger kann das Chaos nicht entwirren, wenn er das könnte, hätte sich die Welt schon vor langem geändert. Ich glaube nicht, daß ein Heiliger das Chaos auch nur für sich selbst entwirrt, denn es ist etwas Anmaßendes und Kriegerisches in der Vorstellung von einem Menschen, der das Weltall in Ordnung bringt. Etwas in ihm liebt die Welt so, daß er sich den Gesetzen der Schwerkraft und des Zufalls unterwirft. Sein Haus ist gefährdet und begrenzt, aber er ist in der Welt daheim.* Siehst du, ich dachte, Borell sei einer dieser Heiligen.

Wir sahen uns an, und ein Prickeln stieg von meinem Steißbein bis hoch in den Kopf. Oriana berührte mich mit ihren Augen, sie sagten, ja, genau das ist ein Heiliger, wir sollten alle danach streben, solche ausgleichenden Ungeheuer der Liebe zu werden. Wir standen da, ohne ein Wort, ich glaubte zu wissen, was sie wollte, ich glaubte, ihren Wunsch zu spüren.

Wir liefen ziellos durch die Straßen, als seien wir willkommene Opfer für die Händler, die uns alles mögliche aufschwatzen wollten.

– Hast du noch was? fragte mich jemand, der sich unbemerkt genähert hatte.

Ich drehte meinen Kopf und erkannte die kleine tätowierte Frau von gestern, meine letzte Kundin.

– Leider nicht.

– Schade, sagte sie, drehte sich um, und dieses Mal hing die Hose noch tiefer, man sah die Ansätze ihrer Pobacken.

– Ja, schade, murmelte ich und stellte mir vor, wie sie die Hosen runterließ und sich über eine Sofalehne beugte, ihr Hintern groß und rund und leuchtend wie das Licht am Ende des Tunnels.

Als Oriana und ich auf unser Zimmer gingen, um uns vor dem Abendessen noch ein wenig hinzulegen, hatte ich Lust. Vielleicht wollte ich mich aber auch nur ablenken.

– Komm, setz dich auf den Stuhl, sagte ich.

Ich verband ihr die Augen, zog ihr die Hose mitsamt Slip runter und fesselte ihre Hände an die Lehnen des Stuhls.

– Warte hier, sagte ich, ich muß noch ein paar Sachen besorgen, es dauert nicht lange. Mach dir keine Sorgen, beweg dich nicht.

– Mesut …

– Keine Fragen, entspann dich, es wird schön werden, versprochen.

Ich hastete runter, kaufte gegrillte Tintenfische und gefüllte Muscheln an einem Stand, Oliven, Walnüsse, Erdnüsse, Honig, Basilikum, Zimt, Erdbeeren, Lavendelseife, einen Schminkpinsel mit weichen Borsten, eine Gurke, eine Schere, gebrannte Mandeln, Cola, Bitter Lemon, Wasser, Räucherstäbchen, ein Stück Käse, einige Kirschen, Kekse, Babyöl, Schokolade. Mit einer großen Tüte in der Hand stürmte ich in einen Sexshop. Es war wie überall in solchen Touristenorten, hier konnten die Menschen ihrer alltäglichen Persönlichkeit entkommen, hier konnten sie fremde Leute sein. Hier waren mehr Pärchen und Frauen ohne Begleitung in einem Sexshop, als man es sonst irgendwo sehen konnte. Ich fand, was ich suchte, und blätterte bedenkenlos die Scheine auf die Theke.

Als ich die Zimmertür öffnete, blieb ich kurz im Türrahmen stehen. Mir gefiel, was ich sah. Eine braune Frau, nur mit einem weißen T-Shirt bekleidet, die mit verbundenen Augen an einen Stuhl gefesselt war.

Eine Diele knarrte, ich drehte mich um. Da stand ein Mann und versuchte, soviel wie möglich von Oriana zu sehen. Ich trat einen Schritt zur Seite und grinste. Wir sahen Oriana im Profil, man konnte ihre Scham nicht erkennen, ihre Brüste waren bedeckt. Es war schön, sich vorzustellen, daß dieses Bild lange in seinem Kopf rumgeistern würde, seine Phantasie anregen und seinen Schwanz aufrichten. Er würde sich die verschiedensten Sachen ausmalen, wie es denn dazu gekommen war, daß hinter dieser Türe eine gefesselte Frau auf mich wartete. Ich hatte ähnliche Bilder in meinem Kopf. Eine nackte Frau nur mit Gummistiefeln an den Füßen, die sich über die Badewanne beugt. Diese Frau, die nackt mit Henry Miller Tischtennis spielt. Zwei Frauen, die sich in der letzten Bahn darüber unterhalten, wo man jetzt noch einen Mann fürs Ficken herkriegen könnte. Ein Freund, der mir anvertraut hat, seine Freundin bevorzuge ausgefallenes Spielzeug, Eddingstifte, den Griff des Regenschirms, den Kopf der Buddhastatue.

Ich sah auf die Beule in der Hose des Mannes, und in einem Anfall von Mut legte ich meine Hand darauf und spürte für den Bruchteil einer Sekunde seinen harten Schwanz, bevor er zurückzuckte und machte, daß er wegkam. Ich schloß die Tür.

– Mesut?

– Ja.

Ich setzte mich zwischen ihre Beine und stutzte ihr die Haare, so weit es ging, mit der Schere, ich wußte nicht, ob ihr das gefallen würde, aber sie sagte nichts, sie schien es einfach nur zu erdulden. Dann schäumte ich die Stoppeln ein und fing an, sie zu rasieren. Orianas Körper spannte sich, sie schien zu befürchten, ich würde sie verletzen, sie hielt die Luft an, doch ich war mir sicher, daß sie gleich alles vergessen würde.

Nachdem ich fertig war, verteilte ich Babyöl auf ihren Lippen, die nun glänzten und leuchteten. Ich zog mich aus und legte die Sachen aus der Tüte zurecht. Ich entkernte eine Kirsche und hielt sie mit Daumen und Zeigefinger unter Orianas Nase.

– Riech mal.

Sie schnupperte ein paarmal und schien zu überlegen.

– Weißt du, was das ist?

– Nein.

Ich schob sie zwischen ihre Lippen.

– Eine Kirsche, sagte sie kauend.

– Gut, richtig.

Ich hielt ihr ein Blatt Basilikum unter die Nase, sie wußte sofort, was es war. Sie erkannte fast alles, ab und zu gab ich ihr einen Schluck Wasser zu trinken, damit es den Geschmack im Mund neutralisierte. Am Zimt verzweifelte sie.

– Ich kenn das, sogar ziemlich gut, ich komme gerade nicht drauf, ich habe das schon oft gegessen, aber … Es will mir nicht mehr einfallen.

Auf den gegrillten Tintenfischen kaute sie sehr lange, nicht weil sie zäh waren, sondern weil sie noch nicht oft welche gegessen hatte und ein wenig brauchte, um darauf zu kommen. Sie erkannte meinen Rasierschaum am Geruch, meine Zahnpasta, auch die Seife.

– Seife.

– Ja, aber was für welche.

Sie schnupperte noch ein paarmal.

– Lavendelseife.

– Du bist gut. Schön.

Ich ließ mir viel Zeit, immer wieder fielen mir neue Sachen ein, ich hielt ihr mein altes T-Shirt unter die Nase, einen ihrer Slips, den Badeanzug, der noch leicht nach Sonnenöl roch. Es war, als würde ich auf einem seltenen, kostbaren Instrument spielen, ich versuchte die Saiten zum Klingen zu bringen, alle Saiten, schön langsam, eine nach der anderen, damit sich die Töne aufeinander legten, sich aneinanderschmiegten, den Raum füllten. Schließlich zündete ich ein Räucherstäbchen an.

– Hippie, sagte Oriana.

Ich löste ihre Fesseln, zog ihr das T-Shirt über den Kopf und band sie dann wieder fest. Mit dem Schminkpinsel setzte ich mich zu ihren Füßen hin und strich damit über ihren Spann, erst über den rechten, dann über den linken, über die Zehen. Oriana schnurrte behaglich. Ich ging zu den Waden über. Dann die Hände und Arme, die Schultern, den Nacken, ihren Bauch, ihre Brüste, ihre Schenkel, ich zeichnete die Linien ihres Körpers nach. Ich beobachtete genau, wie sie reagierte, wie ich ihr das größte Wohlbehagen verschaffen konnte. Ich verstärkte den Druck auf den Pinsel, wenn ich das Gefühl hatte, daß die Berührung zu einem Kitzeln wurde, in den Kniekehlen, den Armbeugen, auf der Innenseite ihres Oberarms, auf den Lippen. Ab und zu blieb mein Blick an ihrer Spalte kleben, und ich mußte mich zusammenreißen. Manchmal glaubte ich, mir würde schwindelig werden oder ich würde mein Augenlicht verlieren. Die Lippen wirkten dick, und die kleinen guckten weit heraus, als gäbe es draußen etwas zu sehen, das man festhalten und sich einverleiben konnte.

Nachdem ich eine Weile sanft mit dem Pinsel über ihren Hügel gestrichen hatte, nahm ich das Babyöl und begann Oriana zu massieren, in der gleichen Reihenfolge, in der ich sie vorher gestreichelt hatte. Ich fing mit ihren Füßen an, glitt sanft zwischen die Zehen, übte einen leichten Druck auf ihren Spann aus, sie schnurrte wieder vor Wohlbehagen. Es erregte mich, zu sehen, daß ich die Kontrolle hatte, daß ich ihre Aufmerksamkeit zu jedem beliebigen Körperteil lenken konnte und sie immer geiler, aber auch weicher wurde. Es erregte mich, das Schimmern des Öls auf ihrer Haut zu betrachten, die kleinen Reflexe, die in meine Augen drangen und von dort in die Nieren gelangten.

Schließlich saß ich wieder zwischen ihren Beinen und strich sanft mit einem Finger um ihre Möse herum. Oriana spreizte die Beine noch weiter, rutschte auf dem Stuhl nach vorne, kam meinem Finger entgegen, der Sand war ganz aus ihrer Stimme verschwunden.

Ich stellte mich hin, hielt meine Schwanzspitze an ihren Nippel, wichste und sah zu, wie sich ihr Busen bewegte. Oriana schob unruhig ihr Becken vor.

Ich nahm den Vibrator. Ich hatte nicht gespart, nicht eins dieser Plastikdinger gekauft und auch nicht die De-Luxe-Ausgabe mit vierzehn verschiedenen Aufsätzen und einer Fernbedienung, für die man eine Gebrauchsanleitung brauchte. Was ich aus der Tüte holte, war ein Silikonschwanz mit einer kleinen Zunge, die auf Knopfdruck vibrierte.

Ich schob ihn ganz langsam rein, bis die Zunge ihren Kitzler berührte, und Oriana erschauerte. Ich ließ los, und der Schwanz glitt langsam wieder raus.

Oriana stöhnte auf, und ich stellte mir vor, daß sie jetzt nichts weiter war, als der Wunsch nach Erlösung. Behutsam drückte ich den Schwanz wieder rein und sagte:

– Wenn er rausrutscht, schiebe ich ihn nicht mehr rein.

Oriana schloß die Beine und klemmte den Vibrator fest. Ich drückte auf den Knopf, stand auf und betrachtete ihr Gesicht. Wie sie die Augenbrauen zusammenzog, die Falten auf der Nase, die Wangen dunkel wie ihr Dekolleté. Den weichen Bauch, den Weg von ihrem Nabel bis zur Spalte, ein leichtes Zittern in ihren Schenkeln, wie sie immer wieder die Lippen aufeinanderpreßte.

– Du siehst so schön aus, Oriana, du siehst so wunderschön aus.

Ich nahm ihr die Augenbinde ab, stellte mich breitbeinig vor sie, so daß meine Knie ihre Oberschenkel noch weiter zusammendrückten. Ich genieße ihre Blicke auf meinem Schwanz.

Mesut hört, daß es nicht mehr lange dauern wird. Er hält seinen Schwanz runter, wichst weiter, zielt auf die vibrierende Zunge. Sie sehen sich noch mal in die Augen. Dann schießt es heraus, die warmen Tropfen auf ihrem Kitzler öffnen die Tür, und Mesut und Oriana fallen in diesen Raum, grün und rot, dunkel und unendlich.

– Es war schön, es war wie in der Bahn zu sitzen und geil zu sein, und du kannst dich nicht vor allen Leuten anfassen. Es war spannend. Ich habe versucht, mir dieses Ding vorzustellen.

Oriana nahm den Vibrator, der noch naß war, in die Hand.

– So einen sollte jede Frau besitzen.

Dann griff sie nach der Zimtstange und schüttelte lachend den Kopf.

Ich war ganz weit und weich, ich fühlte mich jetzt selbst wie ein fein gestimmtes Instrument, auf dem man zum Lob des Herrn musizierte. Spielt schön auf den Saiten mit fröhlichem Schall, um ihm zu gefallen, preist seinen Namen, denn er ist es, der uns Erde und Himmel geschenkt hat.

Du kannst nicht Atheist bleiben, wenn du beim Sex in tausend Stücke zerschmettert wirst und aufhörst zu existieren. Religion und Sex sind letztlich dasselbe. Direkte, intensive und erlösende Erfahrungen. Und wenn du etwas als direkt, intensiv und erlösend erlebst, dann ist es gleichgültig, ob es ein Gebet ist oder ein Orgasmus, der dich als zuckenden Plasmahaufen zurückläßt.

Wir zogen uns an und gingen essen. Wir kauten langsam, mit geschlossenen Augen, fast als würden wir beten.

13

Wir saßen im Zug und fuhren Richtung Hauptstadt, unser Flieger ging morgen in aller Frühe, wir konnten unseren letzten Abend nicht am Meer verbringen. Ich dachte, wie so oft in den letzten Tagen, wieder an Oktay. Auch er schien mir ein Heiliger zu sein, der einzige, dem ich je nahe gewesen war, und nun ließ ich ihn zurück in Kamaloka, ohne ihn gesehen zu haben und ohne eine Ahnung, wie ich ihn hätte ausfindig machen können. Oktay, mit ihm hatte ich mich nie alleine gefühlt.

Ich versuchte mich an jeden einzelnen Tag mit Oriana zu erinnern, wann sie wo gelacht hatte, was wir alles zusammen gesehen hatten, geteilt, wie sie gerochen hatte, nach dem Duschen, nach dem Schwimmen, nach dem Aufwachen. Ich holte mir Bilder vor die Innenseiten meiner Augenlider, wir nackt und schwitzend, stöhnend, fickend, Haut an Haut, wie wir auf den Instrumenten spielten, die Lust bereiteten, wie die Erregung sich darauf vorbereitete, unsere Körper zu verlassen. Lauter Bruchstücke, die aufblitzten und mir im nachhinein vorkamen, als könnten es Déjà-vus gewesen sein. Dinge, die ich gleichzeitig in der Erinnerung und in der Wirklichkeit erlebt hatte, Bilder eines Lebens, das jemand für mich geführt hatte.

Fast vierzehn Tage mit Oriana, mir kam es vor, als seien es Jahre. Ich wußte nicht, was sein würde, wenn wir wieder in Deutschland waren. Das hier war doch das echte Leben, jenes, das wir sonst führten, war nur ein Urlaub, den wir nahmen, weil wir Angst hatten, das Glück könne langweilig werden oder zumindest vergänglich sein wie alles andere. Unser Leben in Deutschland war nur etwas, das wir machten, weil wir nichts Besseres zu tun hatten in der Zwischenzeit, in der Zeit zwischen den Zeiten, die wir an den Orten des Verlangens und der Erfüllung verbrachten. Das Leben konnte möglicherweise tatsächlich ein sexueller Wanderzirkus sein, in dem wir uns wie Narren benahmen, wir Toren und Heilige, wie Oktay, wie Oktay Gögebakan. Es war doch alles Illusion, Maya, nichts war wirklich, kein Schmerz, kein Leid, keine Trauer, keine Freude, kein Glück, es war alles nur ein Traum, die Götter hatten diese Welt erschaffen, um uns zu täuschen. Wir lebten alle nur in der Matrix. Wir waren nicht hier zu Hause.

Es war alles nur ein Traum, aber genau wie im Traum hatten wir keinen Einfluß auf den Gang der Dinge.

Es war dunkel und trüb und schwül, es sah nach einem Gewitter aus, das war unser erster Tag, an dem die Sonne nicht schien. Ich fühlte mich müde und schlapp, und nach einiger Zeit döste ich ein. Es war zuviel Sex in meinem Hirn. Eine Frau tauchte auf. Sie fand heraus, daß ihr Mann regelmäßig masturbierte und sie deshalb vernachlässigte, und die Entdeckung der verklebten Taschentücher ließ sie verzweifeln. Oder vielleicht war es auch eine Frau, deren Mann immer viel zu schnell kam und die sich wünschte, ihn zu demütigen, indem sie ihn zusehen ließ, wie jemand anders sie ausdauernd bumste. Einer, der nicht selbstgefällig sagte: Ich komme schon, kurz nachdem sie ihn in den Mund genommen hatte. Ich stellte mir eine Frau vor, die sich nach einem befriedigenden Sexleben sehnte. Das reizte mich, vielleicht weil der Weg, den sie bis zur Glückseligkeit zurücklegen mußte, so weit war, aber unbeschwert sein konnte.

Meinen Kopf gegen die Lehne gestützt, schlief ich schließlich ein. Mein Schwanz war immer noch oder schon wieder hart, als ich aufwachte, weil Oriana so laut lachte. Ich machte die Augen auf und sah als erstes das Pärchen, das uns gegenüber saß. Ein Mann Ende Dreißig mit schulterlangen pechschwarzen Haaren, einer Adlernase und einem Bartschatten und eine Frau, die ein paar Jahre jünger sein mochte, mit schwarzen, streichholzkurzen Haaren, einem hellen Flaum auf Wange und Oberlippe und einem leichten Silberblick. Ich gähnte und streckte mich.

– Mesut, sagte Oriana, das sind Andrea und Anna, sie sind aus Taranto in Italien und machen hier Urlaub.

Sie sagte etwas auf italienisch zu den beiden, und wir nickten uns zu.

Oriana unterhielt sich weiter. Es klang sehr fremd und ungewohnt, ich hatte sie noch nie Italienisch reden hören, und obwohl ich natürlich gewußt hatte, daß sie es konnte, erschien es mir jetzt wie ein Wunder, daß all diese Laute aus ihrem Mund kamen. Es war ein wenig, als sei sie ein anderer Mensch. Wahrscheinlich war es ihr gestern mit mir auch so gegangen. Ich sah zu, wie ihre Lippen sich bewegten, ich sah mir die Falten um die Augen an, wenn sie lachte, ich betrachtete ihre Hände, wenn sie gestikulierte, irgendwie anders als sonst. Ich sah den Pferdeschwanz, den sanften Schwung ihres Nackens, die leicht nach innen gehenden Schneidezähne, ich hörte ihr kehliges Lachen, spürte ihr Bein an meinem, wir klebten aneinander.

Oriana kam mir gleichzeitig sehr fremd und sehr vertraut vor. Es war, als könne ich sie mit mehr Abstand betrachten, weil sie in einer Sprache redete, die ich nicht verstand, bei der ich noch nicht einmal ahnte, wo die Worte anfingen und wo sie aufhörten.

Sie hielt inne, krauste die Nase, als würde etwas jucken und sie gleich zum Niesen bringen. Es verging, und ihr Gesicht entspannte sich wieder, und genau in dem Moment wurde mir klar, daß sie glücklich war. Sie war nicht gut gelaunt, albern, fröhlich, heiter, zufrieden oder dergleichen, es hatte auch nichts damit zu tun, daß sie mit Andrea und Anna Spaß hatte. Es war kein Moment, der bald wieder vergehen würde, nicht ein Höhepunkt, der verebben würde, nein, sie war glücklich, sie sah aus, als sei sie von einem gleißenden Licht durchdrungen. Den Rest der Fahrt wiederholte ich immer wieder im Geiste: Oriana ist glücklich. Sie ist glücklich. Oriana ist glücklich. Es war, als sei ich draußen im Meer und müßte nie mehr zurück.

Am späten Nachmittag waren wir bei der 24-Stunden-Zimmervermittlung und fragten nach einer billigen Unterkunft. Ich lehnte auf der Theke und drehte mich um, damit ich Oriana sehen konnte. Sie leuchtete von innen, da gab es keinen Zweifel. Ich wußte nicht, ob das erst seit heute so war oder ob ich es vorher einfach nicht sehen konnte.

Wir nahmen ein billiges Zimmer im fünften Stock eines häßlichen Betonklotzes, ein Doppelbett, Klo und Dusche über den Flur, aber dafür war es direkt an der Haltestelle des Flughafenbusses gelegen, wir konnten morgen früh aufwachen und entspannt unsere Sachen runtertragen.

– Laß uns in das Restaurant gehen, wo wir am zweiten Abend waren, sagte Oriana.

– Wo wir die Meeresfrüchteplatte gegessen haben?

– Ja, da, wo Oktay als Koch gearbeitet hat.

– Ich würde es nicht wiederfinden.

– Aber ich.

Uns an den Händen haltend, traten wir auf die Straße. Oriana hatte ihr weißes Kleid an und keinen BH darunter, man konnte die großen Kreise um ihre Nippel erahnen. Ich trug ein rotes kurzärmliges Hemd und weite graue Hosen. Bevor wir das Zimmer verlassen hatten, hatte ich das Geld nochmals gezählt, es reichte für ein üppiges Essen, für den Bus, einen Snack am Flughafen, und es würde vielleicht sogar etwas übrigbleiben. Ich ließ Orianas Hand nicht los, bis wir uns auf der Terrasse des Lokals an einen Tisch setzten.

Es war voll, doch wir mußten nicht lange warten, schon bald stand der Kellner, der uns letztesmal bedient hatte, neben uns, und noch bevor er uns die Karten reichte, fragte er:

– Und, haben Sie ihn gefunden?

– Nein, leider nicht, sagte Oriana.

– Schade, sagte der Kellner, ich habe es Ihnen gewünscht. Ich hätte ihn selber gerne wiedergesehen. Ein verrückter Mann. Wissen Sie schon, was Sie trinken möchten?

– Weißwein, sagte Oriana, und dazu die Meeresfrüchteplatte für zwei Personen. Der Kellner verbeugte sich und ging mit den Karten in der Hand.

– Ich hätte ihn auch gerne kennengelernt, sagte Oriana.

– Es stand nicht geschrieben im Buch des Lebens. Vielleicht ein andermal. İnşallah. So Gott will.

Ich hatte mich fast damit abgefunden. Der Kellner brachte den Wein, schenkte uns ein, als wir anstießen, sagte Oriana:

– Auf unsere Gesundheit.

– Auf unsere Gesundheit.

Nachdem wir die Gläser abgestellt hatten, legte sie ihre Hände auf den Tisch.

– Mesut, es war sehr schön mit dir.

Ich nahm ihre Hände und beugte mich über den Tisch, um sie zu küssen. Was würde morgen sein? Es war vielleicht ein Wurm in der Rose, wie in diesem Gedicht von Blake, aber er war nur dort, weil er die karminfarbene Freude liebte, er hatte keine bösen Absichten.

Viele der Bilder, die ich auf Drogen gesehen hatte, hatte ich vergessen, sie waren kaum festzuhalten, wie die Bilder aus Träumen. Es schien im Gedächtnis keinen richtigen Platz dafür zu geben, sie wanderten etwas ziellos umher, tauchten mal da und mal dort auf, meistens unerwartet und fast nie bereit, seßhaft zu werden. Doch einige Eindrücke blieben für immer hängen.

Ich gehe einen Waldweg lang, es ist warm, doch die Sonne dringt kaum durch die dichten Baumkronen. Es ist friedlich, und das Ende des Weges verliert sich im Dunkel. Etwa zehn Schritte vor mir geht eine nackte Frau, die sich nie umdreht. Wir gehen durch die Jahrhunderte, ich weiß, daß wir ständig in der Zeit reisen, obwohl der Wald sich nicht verändert. Die Frau ist eine Göttin. Das fiel mir wieder ein, als unser Essen kam.

Es war dunkel, als wir das Lokal verließen, wir waren angetrunken, Oriana hakte sich bei mir unter und lehnte unterwegs immer wieder den Kopf an meine Schulter. Als wir an einer Einfahrt vorbeikamen, sagte sie:

– Ich muß mal.

Sie schaute sich kurz um, dann ließ sie ihren Slip runter, hockte sich hin und ließ es laufen. Ich starrte auf ihre Spalte, den Strahl, die immer größer werdende Pfütze zu ihren Füßen. Als sie fertig war, stand sie auf, zog ihren Slip hoch, hakte sich wieder bei mir ein, und wir gingen weiter. Ich drückte sie nicht an Ort und Stelle gegen die Wand, um sie zu bumsen.

Als wir in die Straße einbogen, in der unser Betonklotz war, blieb Oriana stehen und sah auf dieses häßliche Gebäude.

– Es ist schön, nach Hause zu kommen, sagte sie. Wir haben etwas gegessen, wir haben etwas getrunken, und wir werden miteinander schlafen. Ist doch alles paletti, oder? Es ist schön, nach Hause zu kommen, wiederholte sie, den Blick immer noch auf diesen grauen Quader gerichtet.

Wenn das nicht schön ist, was dann?

Oben sagte sie:

– Möchtest du dich ausziehen und aufs Bett legen?

Natürlich wollte ich. Oriana verband mir die Augen, was ich albern fand, weil ich glaubte, sie hätte das Gefühl, sich revanchieren zu müssen.

– Entspann dich, sagte sie, ich möchte dich mitnehmen.

Ich lag auf dem Rücken, Oriana massierte meine Füße, fuhr mit der Zunge zwischen meine Zehen, es fühlte sich gut an, ich seufzte vor Wonne, aber ich fand es nicht erotisch. Oriana arbeitete sich über meine Waden hoch zu meinen Oberschenkeln, abwechselnd massierte und küßte sie mich. Es war schön, heizte mich aber nicht an.

Dann spreizte sie mir die Beine und fing an, kreisend meinen Damm zu massieren. Sie benetzte ihren Finger mit Spucke und fuhr damit über mein Arschloch. Ich genoß die langsamen Bewegungen, mein Schwanz richtete sich auf. Dann kitzelten ihre Haare mich an den Schenkeln, und noch bevor ich verstand, was sie vorhatte, spürte ich ihre Zunge, wo vorher ihr Finger gewesen war.

– Ja, bitte, stieß ich hervor.

Ihr Kopf ging nach einiger Zeit wieder hoch, und das, was ich als nächstes spürte, konnte ich nicht sofort identifizieren. Es drückte gegen mein Arschloch, ich versuchte mich zu entspannen und spreizte die Beine noch weiter und fühlte, wie es ein Stück reinging. Es war dick, fast zu dick, mir ging auf, daß das der Vibrator sein mußte. Oriana schob ihn sanft weiter, ich stöhnte, vor Lust oder vor Schmerz, das wußte ich nicht so genau. Einerseits wollte ich dieses Ding noch tiefer in mir spüren, aber es schmerzte mich, und mein Körper schien es rausdrücken zu wollen, ohne daß ich das beeinflussen konnte.

Oriana zog den Vibrator langsam raus, und es war schön, zu fühlen, wie er mich verließ. Mein Arsch war ganz heiß, ich spürte diesem Gefühl nach, die Spitze des Gummischwanzes noch an meinem Arschloch. Oriana schien reglos zu verharren, nach langen Sekunden sagte ich:

– Noch mal.

Sie schob ihn wieder rein, tiefer dieses Mal. Ich hatte keine Kontrolle über die Geräusche, die ich machte, etwas zwischen einem Stöhnen und einem Wimmern. Mein Schwanz war halbsteif, ich zog die Beine an und versuchte mich zu entspannen, damit der Schmerz nachließ und dieses seltsam angenehme Gefühl blieb. Besessen werden, erfüllt sein, aufgeben.

Ich spürte es zuerst irgendwo zwischen meinem Nabel und der Wirbelsäule, dann breitet es sich in Mesuts Körper aus, ein gewaltiges Zittern, die Auslöschung. Und dazu Mesuts Stimme auf halbem Weg zwischen Wehklagen und Seligkeit. Er liegt auf dem Bett und kommt zurück als ein anderer, weicher, nachgiebiger, vielleicht auch demütiger.

Mein Arsch brennt wohlig, als wäre alle Energie dort versammelt. Ich spüre, wie Oriana meinen Schwanz in den Mund nimmt. Als er steif genug ist, setzt sie sich drauf, nimmt mir die Augenbinde ab. Wir sehen uns an. Sie sitzt mit geradem Rücken auf mir, streicht sich die Haare hinters Ohr, dann hebt sie ihre Brüste mit den Händen an. Es kommt wieder Spannung in meinen Körper.

– Ich gehöre dir, höre ich mich sagen.

Oriana und Mesut bewegen sich in einem urtümlichen Rhythmus, etwas Tierisches, Tiger, Panther, Jaguare, sie schweben auf den Bewegungen durch die Welten, die schon immer da sind, sie existieren nur als zwei fickende Menschen in einer großen Kugel, die durch den Raum gleitet und dann explodiert. Grüne und rote Lichter. Rot. Grün. Licht.

Oriana lag auf mir, ich war nicht eingeschlafen, ich war in einem dämmrigen Zustand, in dem ich nicht mehr wußte, wo meine Hände sind. Ich konnte sie nicht fühlen, ein Teil von mir hatte meinen Körper bereits verlassen. Ich mußte die Hände erst bewegen, um zu merken, daß sie auf Orianas Hintern waren. Ihr Bein zuckte unwillkürlich, wie kurz vor dem Einschlafen, und dieses Zucken breitete sich wellenartig in meinem ganzen Körper aus. Ich brummte sanft, wünschte mir, daß sich die Vibration auf sie übertrug. Ich spürte, wie sie eine Gänsehaut bekam.

Etwas später stand sie auf, blickte sich um, als müsse sie sich orientieren, dann zog sie sich ihr langes T-Shirt an und ging raus, wahrscheinlich auf die Toilette. Das Dunkel im Zimmer wurde kurz vom Licht auf dem Flur vertrieben, als sie zurückkam. Sie schloß die Tür, setzte sich auf die Bettkante, streifte sich das T-Shirt über den Kopf. Es gab kein Wort, das den Anspruch gehabt hätte, das erste sein zu dürfen.

Oriana summte ganz leise, doch ich erkannte die Melodie sofort, natürlich erkannte ich die Melodie. Noch hatte ich die Augen offen und betrachtete diese dunklen Umrisse von vollendeter Schönheit. Dann fing Oriana an zu singen, es war ein wenig Sand in ihrer Stimme, nicht viel, vielleicht zehn, fünfzehn vorwitzige Körnchen, die es nicht hatten erwarten können zurückzukehren.

Suzanne takes you down to her place near the river, ich schloß die Augen und verlor mich in ihrer Stimme, *and she lets the river answer, that you've always been her lover*, Oriana klang für einen Augenblick, als würde sie anfangen zu weinen, *all men will be sailors then, until the sea shall free them*, ich spürte, wie mir die Tränen übers Gesicht liefen, *and you want to travel with him and you want to travel blind*, ich hörte, wie die Tropfen auf das Kissen fielen, *and you think maybe you'll trust him, for he's touched your perfect body with his mind*, ich war ganz weich, ich schien mich aufzulösen, *you want to travel with her and you want to travel blind ...*

Nachdem der letzte Ton verklungen war, wollte ich nie

mehr ohne sie sein. Langsam, unsicher schlug ich die Augen auf, sie saß immer noch auf der Bettkante, hatte sich aber so gedreht, daß sie mich ansehen konnte.

Auf ihrem Gesicht sind feuchte Spuren, ich nehme ihre Hand und ziehe Oriana ins Bett. Ich rieche ihren Schweiß, spüre ihr Fleisch, ihre Wärme, rieche Sperma, rieche ihren Atem, rieche die Tränen. Wir finden eine Position, in der wir viel Haut fühlen, lange liegen wir wach nebeneinander und atmen gemeinsam. Wir haben kein Wort mehr gesprochen, als wir schließlich einschlafen.

14

Nachdem wir aus dem Bus ausgestiegen waren, ließen wir unsere Taschen fallen. Marina sah etwas erstaunt hoch zu uns und lief dann ein paar Schritte nach rechts. Wir nahmen unsere Taschen und folgten ihr lachend. Als wir die Straße überqueren mußten, nahm ich Marina an die Hand. Es war jetzt fast fünf Jahre her, daß Oriana und ich das letzte Mal hier gewesen waren.

Wir kamen an einem Eisverkäufer vorbei, und Marina fragte:

– Kann ich ein Eis?

– Natürlich, sagte Oriana, und wir kauften drei Eis, bevor wir weitergingen. Kurz vor der Touristeninformation saß eine alte, braungebrannte Frau in weiten, bunten Kleidern auf einem Schemel in der Fußgängerzone. Sie hatte ein rotes Baumwollkopftuch, riesige goldene Ohrringe und einen dunklen Flaum auf der Oberlippe. Vor ihr stand ein großes Schild, auf dem die Innenfläche einer Hand zu sehen war, die Linien besonders dick eingezeichnet. Marina blieb stehen und musterte sie interessiert. Sie drehte sich mit ihrem Eis in der Hand zu uns und fragte:

– Was macht die Frau da?

– Das ist eine Wahrsagerin, sagte ich, sie kann den Menschen die Zukunft aus der Hand lesen, nicht aus den Karten.

– Eine Wahrsagerin? So wie Mama?

– Ja, mein Schatz, sagte Oriana, so wie Mama und Oma. Marina näherte sich ohne Scheu der Frau und sah sie aufmerksam an. Die Wahrsagerin lächelte, wenn auch nicht besonders freundlich. Nach einer halben Minute hatte Marina genug gesehen, und wir setzten unseren Weg fort. Die Touristeninformation hatte noch auf, wir bekamen problemlos ein Zimmer. Abends eröffnete uns Marina, sie wolle später auch Wahrsagerin werden. In drei Wochen würde mein erstes Buch erscheinen.

So leben sie. Sie kennen die Worte und die Lieder, sie ahnen, daß der Teufel vor Vergnügen lacht, wenn sie Pläne schmieden, sie wissen, wie leicht das Glück ist, ein Windhauch kann es wegwehen. Sie sind dankbar und erfreuen sich an ihrem Reichtum. Die Wasser tragen die Sorgenblätter fort. So leben sie.

Dank sei dem Herrn.

Danke meiner Familie, und Dank an François Borell, Serdar Köz, Gülten Ertekin, Nermin Turan, Angie Herhaus, Tim Wasser, Lutz Freise, Michel Birbæk, Svenja Wasser, Bernd Harnisch, Daniela Seyfarth, Tom Liwa, Angela Drescher.

Danke auch an Conny Lösch, Jamal Tuschick, Peter Feldhaus, Jens Kenserski und Jochen Schroda von Pulsmacher, Monika Rettig, Ruth Nesselhauf, Peter Friederici, Jan-Erik Lentz, es ist schön, mit euch zusammenarbeiten zu können.

Und kochend heißer Dank auch an all diejenigen, die meine Bücher kaufen, klauen, sich ausborgen, schenken lassen, darüber stolpern oder sonst eine Möglichkeit finden, sie zu lesen. Dank an alle, die mir geschrieben und einen guten Start in den Tag beschert haben. Und ganz besonderer Dank geht an die, die zu den Lesungen kommen und dazu beitragen, daß diese Abende oft sehr schön werden.

Rise up, wise up and keep your heads up. Bis nächstes Mal.

Selim Özdogan
Mehr
Roman

248 Seiten. Gebunden
ISBN 3-352-00553-2

Im Grunde weiß man nie wie alles gekommen ist, denkt der Erzähler und fragt sich, von welchem Punkt aus die Sache schief gelaufen ist. Wann haben er und seine früheren Freunde begonnen sich auseinanderzuleben? Wieso zieht ihn Filiz an, wo er doch immer noch in Anika verliebt ist? Und wo ist die Grenze, wenn man erst einmal angefangen hat zu lügen?

Ein 26jähriger Kölner türkischer Herkunft, dessen ganzer Stolz bisher sein kompromißloses ehrliches Leben war, muß sich nun eingestehen, daß er selbst nicht immer so aufrichtig ist, wie er es von anderen verlangt. Was passiert, wenn man die Erwartungen, die man an sich selbst hat, aufgibt?

Ein Roman über die Frage, wie man es schafft, aufrecht durchs Leben zu gehen ...

»Es geht um alles Mögliche, um Herkunft und Zukunft, Jobben und Mobben, Kneipen und Krankenhäuser, Tod und Teufel, Krebs und Drogen, um die Bürde eines leergefegten Kontos...«

Sächsische Zeitung

Rütten & Loening

Mehr von Selim Özdogan:

Es ist so einsam im Sattel, seit das Pferd tot ist

Roman

Broschur, 171 Seiten
ISBN 3-7466-1157-1

NO RISK – NO FUN. Eines Tages entdeckt Alex diese vier
Worte in einer Kölner Kneipe, und fortan glaubt er an sie. Als er
sich in die Studentin Esther verliebt, ist es plötzlich da, das Gefühl, unbesiegbar und unsterblich zu sein. Doch während er noch
meint, ganz oben zu schweben, saust er schon abwärts ins Chaos
der Einsamkeit, von nichts begleitet als Schnoddrigkeit, coolness
und Freund Henrys Sprüchen.
»Eine vergnügliche bis sentimentale Reise in jene frühen Tage,
da nichts lief – und alles möglich war.«
Hamburger Morgenpost

Ein gutes Leben ist die beste Rache

Stories

Broschur, 160 Seiten
ISBN 3-7466-1479-1

In 33 Stories – manche von Zigarettenlänge, manche so kurz wie
das Aufflammen eines Feuerzeugs – erzählt Selim Özdogan vom
guten und weniger guten Leben, von Rache, kosmischem Gelächter, Liebe und den paar Mal, auf die es ankommt.
»Ein Chronist seiner Generation, präzise die Sprache, einfallsreich angeboten die Banalität der kleinen, lebensprägenden Dinge,
meisterlich das Eigentliche, unausgesprochen zwischen den Sätzen
vorhanden...«
Braunschweiger Zeitung

A*t*V
Aufbau Taschenbuch Verlag